REMEDIOS NATURALES PARA

ASMA
Y ALERGIAS

REMEDIOS NATURALES PARA

ASMA
Y ALERGIAS

BARBARA ROWLANDS

ASESOR:

DR. ALAN WATKINS

Madrid • Londres • Nueva York • San Francisco • Toronto • Tokyo • Singapur • Hong Kong • París • Milán
Munich • México D.F. • Santafé de Bogotá • Buenos Aires • Caracas • Lima • San José • Panamá • Santiago

Remedios naturales para asma y alergias
Publicado por *Pearson Educación*

© 2008, PEARSON EDUCACIÓN, S.A.
Ribera del Loira, 28
28042 Madrid
www.pearsoneducacion.com
ISBN: 978-84-205-5484-6

Traducido de: *Alternative Answers
to Asthma & Allergies*
© 1999 Marshall Editions
ISBN: 978-1-84013-932-7

TRADUCCIÓN:
    M.ª Amparo Sánchez Hoyos
COORDINACIÓN EDITORIAL:
    Adriana Gómez-Arnau
    Irene Molina García
COORDINACIÓN DE PRODUCCIÓN:
    José Antonio Clares

Contenido

Introducción **6**

Cómo utilizar este libro **8**

1
COMPRENDER LAS ALERGIAS **10**

¿Qué son el asma y las alergias? **12**

Una visión de conjunto **16**

El sistema respiratorio **18**

La piel **20**

El sistema digestivo **22**

El sistema inmunitario **26**

El asma y las vías respiratorias **28**

Reacciones alérgicas extremas **30**

2
CAUSAS Y SOLUCIONES **34**

Desencadenantes de alergias **36**

Alérgenos en nuestra casa **40**

Alérgenos en el aire **42**

Irritantes y alergias en el trabajo **44**

Medicamentos y aditivos **46**

Soluciones caseras **48**

Contaminación exterior **52**

Soluciones en el exterior **54**

El estrés **56**

Soluciones al estrés **58**

Pruebas de asma y alergias **60**

3
TERAPIAS CONVENCIONALES **62**

Medicamentos contra el asma **64**

Tratar la fiebre del heno **68**

Tratar las alergias de la piel **70**

Alergias e intolerancias alimentarias **72**

Controlar el asma **74**

Efectos secundarios de la medicación **76**

4
LAS OPCIONES DE TRATAMIENTO **78**

¿Por qué medicina alternativa? **80**

La elección de una terapia **82**

Terapias autoadministradas 84

Técnicas respiratorias **86**

El yoga **90**

T'ai chi **94**

El qigong **96**

El entrenamiento autogénico **98**

La meditación **100**

La relajación y la autohipnosis **102**

La aromaterapia **104**

Terapias administradas por un especialista 106

La acupuntura y la acupresión **108**

La fitoterapia china **112**

La fitoterapia occidental **116**

La medicina ayurvédica **120**

La homeopatía **122**

La osteopatía y la quiropráctica **124**

La técnica Alexander **128**

La terapia nutricional **130**

La naturopatía **133**

La hidroterapia **136**

Los masajes **138**

La sanación **142**

La reflexología **144**

El *biofeedback* **146**

La hipnoterapia **147**

Psicoterapia y consejo psicológico **148**

La elección del especialista **150**

Nuevas evidencias **152**

Tratamientos urgentes **154**

Glosario **156**

Recursos útiles **157**

Índice **158**

Agradecimientos **160**

Introducción

Pocos escapan de las alergias. Existen casi 100 millones de asmáticos en el mundo, el 6 por ciento de los adultos y el 10 por ciento de los niños, y al menos 40.000 personas mueren al año por esta causa. El asma se sufre en todo el mundo y, a pesar de la existencia de tratamientos, va en aumento. Las alergias de la piel y las alergias a ciertos alimentos parecen formar parte de la vida moderna. Las alergias a alimentos como los cacahuetes o el marisco son cada vez más frecuentes, a veces con resultado mortal, y cada vez hay más personas sensibilizadas contra la leche, el pan o los huevos, alimentos antes considerados básicos.

Nadie conoce realmente la causa de esta epidemia, pero los médicos, genetistas, ambientalistas, especialistas del pulmón, dietistas y terapeutas alternativos poseen diversas teorías. Una de ellas es nuestro cambio de vida.

Aunque está claro que el asma y las alergias son hereditarias, cada vez hay más evidencias de que se desencadenan por factores ambientales. La casa moderna, con calefacción central y doble acristalamiento, sellada contra la circulación del aire fresco, es el ambiente ideal para el ácaro que vive en nuestras alfombras y cortinas, y sus deposiciones pueden provocar asma. Se puede desarrollar asma por haberse criado en una casa de fumadores o por haber sufrido una infección bronquial. El eccema puede desencadenarse por estrés. Algunas personas desarrollan alergias en el trabajo, contra la harina, el serrín, el dióxido de azufre, el formaldehído y otras sustancias químicas. Se puede sufrir problemas crónicos de piel o hinchazón aunque la dieta esté repleta de fruta y verdura. Aunque lleve una vida sana, trabajar al aire libre puede hacerle sucumbir a la fiebre del heno. Algunas personas dicen que el aire fresco se agota, incluso en los lugares más remotos de la Tierra. Sucede que estamos demasiado limpios. En el

pasado, nuestro sistema inmunitario luchaba contra un mar de suciedad y eso lo volvía más fuerte. Actualmente estamos vacunados contra las enfermedades más habituales y nuestros hogares brillan de puro limpios. No queda mucho contra lo que luchar y el sistema inmunitario se alza en armas contra el inofensivo ácaro o el grano de polen. La ausencia de suciedad nos está enfermando.

La medicación puede suavizar los síntomas de la alergia, y también salvar vidas. Una inyección de adrenalina puede evitar la muerte debida a alergias alimentarias o a insectos. Si todos nos medicáramos adecuadamente habría menos muertes, pero muchas personas son reacias a depender de un inhalador, una pastilla o una crema con esteroides.

El consejo de este libro es que no deje de tomar la medicación, pero que tome el mando y se responsabilice de la situación. Un cambio en la dieta, la decoración de la casa o las medidas adoptadas en el trabajo puede suponer una gran diferencia, y existe toda una variedad de terapias alternativas que pueden ayudar a mejorar los síntomas. Pruebas clínicas han demostrado que algunas terapias, como la homeopatía, la fitoterapia y la hipnoterapia, pueden tener un efecto directo sobre los pulmones al reducir la tensión, relajar los músculos o estimular el sistema inmunitario. Estas terapias no son rápidas, requieren tiempo, energía y constancia, pero si se utilizan con sensatez y junto con los medicamentos, pueden cambiar nuestra vida.

Cómo utilizar este libro

Este libro funciona de varias maneras. Si lo lee entero, comprenderá lo que es el asma, cómo pueden ayudar al asmático los tratamientos alternativos y convencionales y qué se puede hacer día a día para limitar los ataques, o superar uno. Por otro lado, las referencias *Descubrir más de* le enseñarán todo lo necesario sobre un determinado aspecto de la enfermedad.

1 El capítulo 1 define el asma y otras alergias y explica qué son y cómo pueden afectar al organismo. Analiza su frecuencia en el mundo y señala a aquellas personas con más riesgo de sufrir asma u otras alergias.

2 El capítulo 2 examina las causas del asma y las alergias, y los factores desencadenantes de un ataque o una reacción. Ofrece soluciones prácticas para reducir el riesgo de sufrirlo, como no realizar ejercicio cuando el nivel de polen sea alto y aclarar dos veces la ropa para evitar dermatitis, así como métodos sencillos para reducir el estrés, un factor significativo en el asma y las alergias.

3 *El capítulo 3 discute los tratamientos médicos convencionales para combatir el asma a través de medicamentos. Describe el funcionamiento de diversos medicamentos y sus efectos secundarios.*

4 *El capítulo 4 enumera las opciones de tratamiento. Mientras que los medicamentos convencionales pueden mantener el asma y otras alergias bajo control, muchas terapias alternativas han demostrado su utilidad junto a los medicamentos. Incluye las terapias auto-administradas y las administradas por un especialista.*

1

COMPRENDER

LAS ALERGIAS

Resulta sencillo identificar un ataque de
asma. Sus síntomas: tos, jadeos y
sibilancias, son reconocidos por la mayoría.
Pero, a pesar de su familiaridad y el hecho de
que el asma empieza a alcanzar proporciones
epidémicas, los médicos no coinciden en una
definición para el asma y no existe ninguna
prueba sencilla que determine si una persona lo
sufre. Tampoco está claro qué lo causa, aunque
sí qué lo provoca.

El asma es una de las múltiples alergias, cada
vez más frecuentes. Para entender por qué tantas
personas sufren en verano por la fiebre del heno,
o por qué tantos niños van al colegio con un
inhalador, es importante comprender cómo
afectan las alergias al organismo.

¿Qué son el asma y las alergias?

La palabra "asma" proviene del griego asthma y significa jadeo, y ese es el principal síntoma del asma. Si sufre de asma las vías respiratorias de sus pulmones estarán casi siempre irritadas e inflamadas y reaccionarán enseguida a cualquier cosa que las irrite.

El asma se define básicamente por cuatro síntomas:

• Tos: a menudo es el primer síntoma del ataque de asma. Puede ser tos seca o con flemas, y a menudo se produce de noche o tras practicar ejercicio.

• Dificultad al respirar: cuesta terminar una respiración antes de comenzar otra.

• Sibilancias: el silbido que emite el asmático al espirar durante un ataque. Está causado por la mucosidad producida por las vías respiratorias inflamadas y enrojecidas.

• Presión en el pecho: la sensación de opresión en el pecho, como si alguien nos abrazara con demasiada fuerza.

Los factores desencadenantes, como las deposiciones del ácaro o las mascotas, pueden provocar el repentino estrechamiento de las vías respiratorias. El ataque de asma puede alarmar y, en casos extremos, puede matar.

Alergias

Las alergias son muy habituales y una de cada tres personas sufrirá alguna a lo largo de su vida. Una de cada cinco padecemos fiebre del heno y uno de cada seis niños tiene algún problema de piel.

La alergia es la reacción desproporcionada del organismo frente a algo inofensivo. La mayoría de las personas pueden pasear sobre un césped recién cortado, abrazar a su mascota y comerse alegremente un paquete de cacahuetes. La picadura de la abeja no suele provocar más que dolor y un abultamiento enrojecido. Para la mayoría de las personas, los medicamentos no causan mayor problema. Pero si padece alguna alergia, muchos de ellos le provocarán una reacción, como un ataque de asma, que puede ser repentina y violenta.

Las alergias raramente matan. Para un reducido número de personas, si no reciben la medicación adecuada de inmediato, una alergia puede ser mortal.

Las alergias más habituales

• Asma.
• Fiebre del heno y picor de ojos.
• Sarpullidos y problemas de piel, como eccema y dermatitis.
• Alergias alimentarias.
• Alergias a la picadura de abejas o avispas.

LAS VÍAS RESPIRATORIAS Y EL ASMA

Durante un ataque de asma, las vías respiratorias se contraen y dificultan la respiración. El problema puede ser causado de tres maneras distintas: las vías respiratorias se inflaman; los músculos de las vías respiratorias sufren un espasmo; la mucosidad se acumula y obstruye las vías respiratorias.

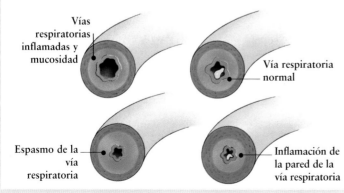

Vías respiratorias inflamadas y mucosidad

Vía respiratoria normal

Espasmo de la vía respiratoria

Inflamación de la pared de la vía respiratoria

Si sufre asma nocturno, puede toser sin despertarse, o sufrir sibilancias periódicamente. A veces ayuda sentarse.

Tipos de asma

Existen dos tipos principales de asma. El primero es el asma alérgica, a veces llamado extrínseco, y lo sufren 9 de cada 10 asmáticos. Significa que el que lo sufre es alérgico a uno o más alérgenos comunes.

El segundo tipo es el asma no alérgica, o intrínseca, de la que se desconoce la causa. Si la padece, en su familia no habrá antecedentes de la enfermedad ni usted será, aparentemente, alérgico a nada. En cualquiera de los dos casos, el asma puede ser leve, moderada o grave y, si persiste durante mucho tiempo, será crónica.

Existe también el asma sensible, muy rara y en la que se sufre un ataque repentino, generalmente producido por una alergia que surge de forma inesperada y es difícil de controlar. Por último, existe el asma nocturna.

Fiebre del heno

Todos los años, la fiebre del heno afecta a millones de personas. En el momento cumbre de la estación, hasta un tercio de las personas tendrá una reacción positiva a la prueba alérgica con polen de hierba.

La fiebre del heno, o, más exactamente, rinitis alérgica estacional, no está provocada por el heno ni provoca fiebre. Es una alergia al polen, que se encuentra en el aire, de árboles, hierba, plantas y esporas de hongos. Algunas personas son alérgicas a uno o dos tipos de polen, mientras que otras lo son a varios. En el hemisferio sur, arbustos y árboles son los causantes de la mayor parte de la fiebre del heno. La rinitis alérgica se suele caracterizar por estornudos y congestión nasal, a menudo acompañada de ojos irritados y llorosos. Quienes la sufren se sienten poco atractivos, gruñones, cansados, y con dificultad para concentrarse. Puede evitar el disfrute de una buena comida, o de un beso. Incluso puede atenuar el deseo sexual.

La fiebre del heno puede desarrollarse a cualquier edad, pero suele surgir entre los 8 y los 20 años, y raramente después de los 40. Los hombres son más propensos a esta fiebre que las mujeres y, contra lo que se cree, parece más habitual en la ciudad que en el campo.

La frecuencia de la fiebre del heno se ha cuadruplicado en los 20 últimos años, a pesar de la menor cantidad de polen asociada a la reducción de pastizales. Los científicos creen que la contaminación causada por los vehículos sensibiliza las vías respiratorias de los alérgicos y aumenta la predisposición a la alergia.

Las proteínas del grano de polen quedan adheridas a las partículas de contaminación del aire que son aspiradas hasta los pulmones.

Descubrir más de

Asma y vías respiratorias	28
Reacción alérgica grave	30
Tratar la fiebre del heno	68

¿Qué son el asma y las alergias?

¿Es lo mismo asma que bronquitis?

No es fácil diagnosticar el asma, sobre todo en niños, ya que sus síntomas coinciden con los de la bronquitis.

La bronquitis es la inflamación de los bronquios, y se caracteriza por dificultad al respirar acompañada de sibilancias, el principal síntoma del asma. En la bronquitis aguda la inflamación está provocada por la contaminación y, a menudo, por el tabaco. Las personas que sufren bronquitis tosen y presentan sibilancias, pero no padecen asma.

Los bebés son propensos a las sibilancias y, a menudo, se les diagnostica asma cuando no es más que una infección pulmonar pasajera. Las infecciones respiratorias víricas pueden presentar síntomas parecidos al asma. El bebé toserá con sibilancias y, aunque suele remitir a la semana, es normal que sea recurrente.

El rendimiento académico de los adolescentes alérgicos es inferior al de sus compañeros que no lo son. Muestran falta de concentración, picor de ojos y goteo de nariz.

El asma en la infancia

El número de casos de asma infantil en el mundo ha aumentado enormemente; en algunos países se ha duplicado en una generación. Esto se traduce en un mayor número de ingresos hospitalarios, absentismo escolar y millones de niños medicados. En los países occidentales, uno de cada siete escolares padece asma, y casi un tercio de los menores de cinco años han sufrido sibilancias.

Los detonantes más habituales del asma en la infancia son el ejercicio y las infecciones, siendo el asma alérgica muy rara. La mayoría de los niños pequeños sufren ataques de asma producidos por un catarro o un virus. Los síntomas habituales son sibilancias y/o tos, sobre todo por la noche, después de sufrir un catarro o de hacer ejercicio. Aunque la mayoría de los casos de asma infantil son leves y pueden controlarse, los niños sufren unos ataques de asma repentinos y muy alarmantes.

Si su hijo padece asma alérgica, puede que su familia sea atópica, o propensa a las alergias. Puede que usted no padezca asma, pero sí fiebre del heno o eccemas. Si no es el caso, entonces seguramente encontrará al alérgico entre los abuelos del niño.

Tabaco y asma infantil

En un estudio realizado en 1976 con 10.000 niños, 7 de cada 10 manifestaban que los lugares con humo empeoraban su asma y un tercio de ellos convivía con fumadores. Los hijos de madres fumadoras de más de 10 cigarrillos al día, tienen el doble de probabilidades de sufrir asma que los de madres no fumadoras.

Pocos niños y adolescentes mueren de asma, pero constituyen la mitad de los ingresados en hospitales. La buena noticia es que dos tercios de los niños se curan de su asma.

Descubrir más de

Sistema inmunitario 26

Desencadenantes del asma 38

Alergias en el trabajo 44

El asma y las alergias han aumentado alarmantemente en niños pequeños. En cada aula, al menos un niño requiere medicación y, en algunas zonas, uno de cada cinco puede sufrir asma.

El asma en los adultos

Algunos adultos padecen asma desde la infancia, pero lo normal es que aparezca de repente. Algunos pueden haber sufrido algún ataque de niños y no volver a sufrir otro en 20 o 30 años. Otros jamás habrán sufrido asma con anterioridad.

La enfermedad puede desencadenarse por algún alérgeno nuevo con el que entremos en contacto en el trabajo, o por una nueva mascota. Algunos medicamentos, como los betabloqueantes y la aspirina, pueden provocar asma. Otros desencadenantes en adultos son las infecciones pulmonares y el estrés. En 4 de cada 10 mujeres, los síntomas del asma empeoran 7 a 10 días antes de la regla.

Los mayores de 50

Casi la mitad de los asmáticos no desarrollan la enfermedad hasta pasados los 50 años, y la mayoría de las muertes por asma se producen en mayores de 45. El asma puede ser más grave cuando se produce a edades más avanzadas.

El asma tardío es más susceptible de ser provocado por catarros, gripe, infecciones víricas e irritantes como el tabaco, que por alergias. Una ola de frío puede provocar un ataque. Es más frecuente en hombres que en mujeres.

Las alergias

Las alergias, como el asma, están en aumento. Uno de cada seis niños tiene un problema de piel, como eccema, provocado por una alergia. Una de cada 20 personas sufre urticaria y una de cada cinco, fiebre del heno. Cada vez hay más personas que sufren alguna alergia alimentaria, y muchas son víctimas del síndrome del edificio enfermo.

Entre las enfermedades infantiles provocadas por alergias se incluye el eccema, el asma, la fiebre del heno, el picor de ojos y la rinitis alérgica. Los niños de familias pequeñas, generalmente el primogénito, sufren más alergias que los de familias numerosas porque su sistema inmunitario no es tan eficaz. En las familias numerosas, las infecciones víricas suelen pasar de un niño a otro, y parece ser que sufren menos alergias.

Una visión de conjunto

Cerca de 100 millones de personas en el mundo sufren asma, alrededor del 6 por ciento de los adultos y el 10 por ciento de los niños, y va en aumento. Al menos 40.000 personas mueren cada año por esta enfermedad. Australia es el país con más asmáticos, seguida de cerca por el Reino Unido y Nueva Zelanda.

El asma es más habitual en las ciudades que en las zonas rurales. Las investigaciones muestran que va en aumento, sobre todo entre niños y jóvenes.

Esto es así en la mayoría de los países industrializados. Un estudio realizado en Australia concluyó que el número de niños medicados por asma aumentó del 7 por ciento en 1982 hasta el 25 por ciento 10 años después. En algunos países, casi el 30 por ciento de los niños padecen asma.

En el mundo desarrollado, cada vez hay más ingresos hospitalarios por culpa del asma, a pesar de que el nivel de vida medio ha aumentado y que las personas, en general, están más sanas y viven más. Esto no sólo sucede en países densamente poblados o en ciudades grandes. Las cifras son parecidas en Nueva Zelanda, Australia, Estados Unidos, Escandinavia, el Reino Unido y otros países industrializados de Europa occidental.

En algunos países, el asma se ha

CASO CLÍNICO

Fiona Paton, su marido y sus dos hijos, Simon, de 13 años y Kirsty, de 11, viven en una ciudad al norte de Londres, Inglaterra, la capital asmática de Europa.

Simon empezó a padecer asma a los 18 meses, pero lo tenía controlado hasta que empezó el colegio.

"Cerca del colegio había mucho tráfico por los coches de los padres que dejaban a sus hijos en clase —declara Fiona—. Caminábamos hasta el colegio, pero para cuando llegábamos, a Simon le costaba respirar y precisaba un inhalador. En casa, en cuanto había polvo, sufría sibilancias".

Simon empezó a sufrir ataques dos veces por semana. Tenía que acudir a un especialista una vez al mes y era "cliente" habitual del hospital. En varias ocasiones, Fiona tuvo que nebulizarlo: bombear esteroides en sus pulmones para mantener sus vías respiratorias abiertas.

"Cuando tienes un hijo con asma, te planteas muchas cosas —dice Fiona—. Su dormitorio tiene que estar impoluto, pero de todos modos sufrirá un ataque en casa de un amigo, o si en el aula hay polvo. Hay que pensar en qué detergente usar para la ropa y en cómo evitar a las mascotas de los demás.

Afortunadamente, ahora que Simon es mayor, es capaz de tomar decisiones por sí mismo y sabe lo que puede y no puede hacer. Su asma vuelve a ser controlable".

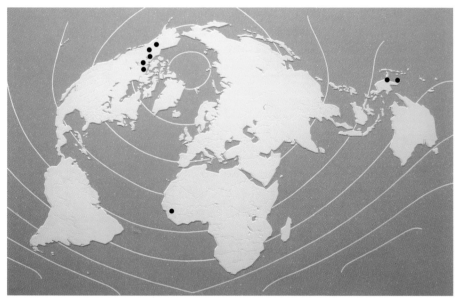

Descubrir más de

Soluciones caseras   48

Contaminación exterior   52

El asma va en aumento en todo el mundo. Australia sufre la mayor incidencia, pero sólo unos cuantos lugares, señalados en negro, se hallan completamente libres de asma.

cuadruplicado en los 30 últimos años y las investigaciones demuestran que es un incremento real y no por una mayor concienciación. El aumento es especialmente dramático en niños. Las enfermedades con sibilancias entre los adolescentes británicos aumentaron en un 70 por ciento entre 1974 y 1986.

En Finlandia los médicos estudiaron a los reclutas militares entre los años 1920 y 1938. Tras la Segunda Guerra Mundial, se reanudaron los estudios y se descubrió que entre 1960 y 1990 el asma se había multiplicado por 20. La mitad de los trescientos habitantes de Tristan da Cunha, una remota isla del Atlántico Sur, entre el cabo de Buena Esperanza y Argentina, padece asma.

Aunque el asma puede afectar a cualquiera, en Nueva Zelanda es más frecuente entre los maoríes. En Estados Unidos, el mayor incremento de casos se produce entre los afroamericanos que viven en ciudades del interior.

Sin embargo, en otros lugares es casi desconocida. Al norte de Canadá, sólo un puñado de Inuit han ingresado en

hospitales, con síntomas de asma, en los 12 últimos años.

En Papúa-Nueva Guinea no existe una palabra para el asma, y en los poblados de Gambia no se conoce esta enfermedad, aunque es habitual en las ciudades cercanas. Lo mismo sucede entre los poblados y las ciudades de otros países africanos, incluyendo Kenia, Zambia y Nigeria.

Parece que el incremento de casos de asma obedece a una combinación de factores:

• Los hogares modernos favorecen la proliferación del ácaro, y los niños pasan más tiempo dentro de casa que sus padres o abuelos.

• Existe más contaminación industrial y de los automóviles.

• Algunos médicos piensan que nuestros hogares están demasiado limpios. Los niños necesitan ser expuestos a infecciones para desarrollar su sistema inmunitario.

• El aire seco y caliente de los hogares con calefacción central puede ser otro factor.

El sistema respiratorio

Casi nadie piensa en la respiración hasta que tiene problemas con ella. En el proceso de la respiración, el organismo absorbe oxígeno del aire, esencial para las funciones vitales. El dióxido de carbono se elimina, como producto de desecho, al espirar.

El ejercicio puede desencadenar un ataque de asma. Hay que encontrar el equilibrio entre la protección del niño y su participación en las actividades físicas normales.

Al respirar, el aire entra por la nariz y la boca. De ahí pasa a la laringe y la tráquea, hasta llegar a los pulmones. Las vías respiratorias están tapizadas de diminutos cilios pilosos. Si una partícula de polvo o suciedad entra en el aparato, quedará atrapada en el recubrimiento de mucosidad y los cilios la expulsarán en un movimiento ondulante y ascendente.

Al llegar a los pulmones, la tráquea se divide en dos ramas o bronquios, uno para cada pulmón. Cada bronquio se divide en miles de finos bronquiolos, cada uno de los cuales termina en un pequeño saco, llamado alveolo. Existen unos 300 millones de alveolos en los pulmones, cada uno rodeado por una maraña de diminutos vasos sanguíneos. El oxígeno pasa a la sangre a través de los alveolos y la sangre oxigenada es bombeada por el cuerpo.

El producto de desecho de la respiración es el dióxido de carbono, el cual es devuelto hacia el corazón, que a su vez lo bombea a los pulmones. Éstos, al no encontrarle ninguna utilidad, lo expulsan. Cada día, entran y salen de los pulmones unos 10.000 l de aire.

Los pulmones son delicados y están protegidos por las costillas. Cada pulmón, además, está cubierto por una membrana de doble capa, la pleura, que permite su movimiento. Entre cada costilla existe un grueso músculo, el intercostal, que se expande y contrae con cada respiración. Por debajo de los pulmones se encuentra un músculo acampanado, el diafragma, que sube y baja al respirar.

Los mecanismos de la respiración

La respiración es involuntaria, pero, a diferencia de los latidos del corazón, sí podemos controlarla. Podemos aguantar la respiración, utilizarla para gritar, cantar o silbar, y respirar con la parte superior de los pulmones o con el abdomen.

La respiración no es tan sencilla como parece. Cada vez que inspiramos, el diafragma se aplana y los músculos intercostales se acortan, con lo que sube la caja torácica. Al expandirse el espacio torácico, los pulmones se llenan de aire. Cuando los pulmones están llenos, el diafragma y los músculos intercostales se relajan y la caja torácica se contrae, expulsando el aire.

El ritmo de la respiración varía en función de la cantidad de oxígeno que se necesite, la cual está monitorizada por el centro respiratorio del cerebro, la médula. Al hacer ejercicio, el organismo se inunda de dióxido de carbono y necesita más oxígeno. La médula alerta a los pulmones para que respiren más deprisa y profundamente, a veces hasta 80 veces por minuto. Al descansar, y con el dióxido de carbono a un nivel normal, respiramos entre 13 y 15 veces por minuto.

EL SISTEMA RESPIRATORIO

Este sistema capta el aire de la atmósfera y lo transporta hasta los pulmones. Una vez allí, el oxígeno pasa al torrente sanguíneo y el dióxido de carbono es expulsado al exterior. La acción de los músculos intercostales y el diafragma expanden y contraen la cavidad torácica, permitiendo el movimiento, ascendente y hacia fuera, de los pulmones.

Descubrir más de

Ejercicio	57
Pruebas de asma	60
Técnicas respiratorias	86

Cavidad nasal
Filtra, calienta y humidifica el aire.

Alveolos
Diminutos sacos de los pulmones, donde se produce el intercambio gaseoso entre el aire y la sangre.

Laringe
Contiene las cuerdas vocales.

Tráquea
Se extiende desde la laringe hasta los pulmones.

Bronquios
Al entrar en los pulmones se dividen en bronquiolos, más pequeños.

Costillas
Se mueven para expandir y contraer los pulmones al respirar.

Pleura
Membrana de doble capa que rodea el pulmón.

Diafragma
Se aplasta al inspirar y se relaja al espirar.

La piel

*L*a piel es el órgano más grande del cuerpo y protege su interior de las agresiones externas. Ayuda a regular la temperatura corporal, es capaz de repararse y es la primera línea defensiva contra los microorganismos patógenos.*

No existe ningún material fabricado por el hombre tan elástico y resistente como la piel. Nos protege del calor y el frío, es resistente al agua, se estira o encoge si engordamos o adelgazamos y se pone roja cuando estamos nerviosos.

La piel es también lo primero que vemos en los demás, luego es algo más que una capa protectora. Queremos que sea limpia y sin imperfecciones que nos agobien tanto física como psíquicamente. Los problemas de piel, como la psoriasis o el eccema, pueden destruir la autoestima de una persona y afectar a sus relaciones personales y profesionales.

Estructura de la piel

La piel está formada por dos capas, una externa o epidermis, y una interna o dermis. Por debajo se encuentra una capa de tejido graso.

La epidermis está formada por capas de células planas. En la planta de los pies y las palmas de las manos es muy gruesa, y muy fina en los párpados. Las capas inferiores de la epidermis contienen las células madre, o germinales, que ascienden a la superficie, donde se aplanan, mueren y descaman en un proceso que dura unas cuatro semanas.

La dermis está formada por colágeno, una proteína, y contiene glándulas sudoríparas, vasos sanguíneos, nervios y

LA PIEL

Las principales capas de la piel son la dermis y la epidermis. El tejido graso subcutáneo se encuentra bajo la dermis. La dermis contiene vasos sanguíneos, folículos pilosos, nervios, glándulas sudoríparas y glándulas sebáceas que lubrican el pelo y la superficie externa de la piel.

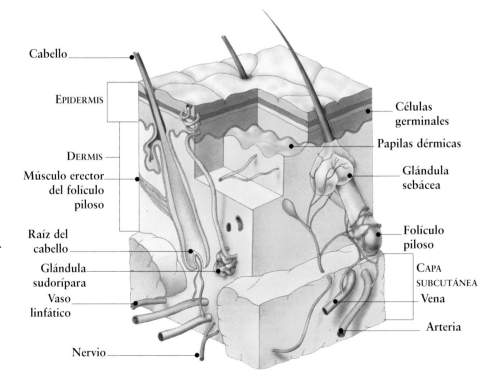

Cabello

EPIDERMIS

DERMIS

Músculo erector del folículo piloso

Raíz del cabello

Glándula sudorípara

Vaso linfático

Nervio

Células germinales

Papilas dérmicas

Glándula sebácea

Folículo piloso

CAPA SUBCUTÁNEA

Vena

Arteria

folículos pilosos. Las glándulas sudoríparas regulan la temperatura corporal, mientras que las sebáceas producen grasa que vierten en los folículos pilosos.

La piel se seca y pierde elasticidad con los años. Empieza a tener un aspecto ajado y se deteriora por la acción del sol, el calor o el frío.

Alergias de la piel

Cuando se produce una reacción alérgica, el sistema inmunitario cree que una sustancia, que para la mayoría es inofensiva, constituye una amenaza para el organismo.

- **Urticaria.** Aparece como una zona inflamada y con picor. En el centro suele ser pálida y roja y redonda en los extremos. Puede afectar a una quinta parte de la población. La urticaria es el resultado de tocar o comer algo que nos produce alergia. Puede aparecer en cuestión de segundos y suele durar unas horas.
- **Angioedema.** Es una inflamación del rostro, los párpados y la garganta. También puede afectar a la respiración. Las marcas se asemejan a las de la urticaria, pero se origina en capas más profundas de la piel. Aunque el angioedema puede resultar doloroso, no pica.
- **Dermatitis por contacto.** La piel se inflama y aparecen manchas rojas que pican, tras el contacto con una sustancia determinada, sobre todo algunos detergentes, níquel (de las correas de reloj, joyería y patillas de gafas), cosméticos, algunas plantas (sobre todo prímulas y hiedra), y sustancias químicas como las de la goma y conservantes de cremas y pinturas.
- **Eccema.** Es otra forma de dermatitis por contacto, pero también lo puede provocar algún alimento, el estrés o alguna sustancia en el ambiente. Ni el eccema ni

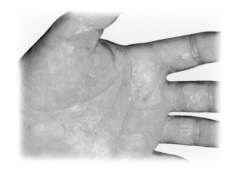

la dermatitis son infecciosos. Aproximadamente una de cada 20 personas sufre eccema.

El aspecto y la sensación varían de una persona a otra, aunque la mayoría presenta sobre la piel unas ronchas secas que se cuartean, enrojecen y, a veces, sangran. Pueden aparecer pequeñas ampollas que arden y pican. Si se rasca un eccema, la piel se engrosará, pero, una vez desaparecido, no quedan cicatrices, si bien la piel deberá mantenerse bien hidratada.

Tipos de eccema

El eccema atópico, por hipersensibilidad a algún alérgeno y de origen hereditario, afecta a todas las edades a partir de los tres meses y es más habitual en niños. A menudo comienza por el rostro y se extiende hasta las muñecas, el interior de los codos y las corvas. En el peor de los casos, se extiende por todo el cuerpo.

Otras formas de eccema son el varicoso, también hereditario, que se desarrolla en zonas con venas varicosas y suele estar provocado por mala circulación. El eccema numular, que suele afectar a adultos y produce manchas circulares que pican y se descaman. No se conoce su origen.

Descubrir más de

Pruebas de alergias	60
Tratamientos para la piel	70
Fitoterapia china	112

El eccema provoca picor y sarpullidos rojos. Las pequeñas ampollas exudan un líquido y la piel se cuartea.

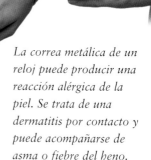

La correa metálica de un reloj puede producir una reacción alérgica de la piel. Se trata de una dermatitis por contacto y puede acompañarse de asma o fiebre del heno.

El sistema digestivo

El sistema digestivo, cual compleja fábrica química, descompone los alimentos en nutrientes aprovechables, los cuales pasan al torrente sanguíneo y linfático que se encargan de su transporte por todo el organismo.

El aparato digestivo mide unos 9 m y se extiende de la boca al ano. Se divide en boca, esófago, estómago, intestino delgado, intestino grueso o colon, recto y ano. Si todo funciona bien, el sistema digestivo es muy eficaz en la absorción de alimentos y eliminación de desechos, además de enviar mensajes al cerebro que nos dicen cuándo y qué comer y cuándo expulsar los productos de desecho.

Cada sección cumple su función y actúa automáticamente. El mero hecho de pensar en comida, y aún más si la olemos o vemos, hace que segreguemos saliva en la boca. La digestión suele durar unas 24 horas, pero puede llevar hasta tres días.

El inicio del proceso

La masticación y la saliva de la boca descomponen la comida en una pasta o bolo que pasa por el esófago hasta el estómago al tragar. El alimento es empujado por unas fuertes contracciones musculares, o peristalsis, que se producen en todo el sistema digestivo.

El estómago es un saco de músculo con forma de "J". Se sitúa justo debajo del diafragma y se expande hasta abarcar 1,5 l. La comida es descompuesta por la acción trituradora y mezcladora del estómago y por los ácidos segregados por el recubrimiento interno y las enzimas digestivas, como la pepsina. El ácido disuelve la comida y mata a la mayoría de las bacterias. El estómago tarda de dos a seis horas en vaciarse.

El intestino delgado

La comida descompuesta y en forma de caldo pasa al siguiente tramo: un tubo con forma de "C" de unos 25 cm de largo que forma la primera parte del intestino delgado y donde el conducto de la vesícula y el páncreas vierten un cóctel de enzimas digestivas, las cuales descomponen los hidratos de carbono, grasas y proteínas de los alimentos.

Después, el alimento pasa por el resto del intestino delgado, que mide unos 6 m. Los nutrientes, minerales y el agua son absorbidos por las paredes intestinales y pasan al torrente sanguíneo en un proceso que dura entre tres y cinco horas. La pared interna del intestino delgado está recubierta de diminutas estructuras llamadas vellosidades que aumentan la superficie a través de la cual se absorben los nutrientes.

El colon y el recto

El intestino grueso, o colon, mide alrededor de 1,5 m. Su función principal es la de absorber las sales y el agua del alimento digerido. Contiene multitud de bacterias que preparan los productos de desecho para su eliminación. El colon absorbe hasta un litro de agua de manera que lo que quede sea una masa semisólida. Estos restos permanecen entre 12 y 48 horas en el colon.

Los productos de desecho pasan finalmente por el recto, que actúa como almacén. Cuando el recto está lleno, se activa un reflejo de eliminación y las heces abandonan el cuerpo por el ano.

Lengua
El alimento es enrollado por la lengua
hasta formar una bola, lista para tragar.

Descubrir más de

Medicamentos y aditivos	46
Alergias alimentarias	72
Terapia nutricional	130

Glándulas salivares
Segregan enzimas que descomponen el almidón.

Boca
El alimento es masticado
en la boca para
descomponerlo.

Epiglotis
Es el tejido cartilaginoso que
evita que el alimento entre en la
tráquea al tragar.

Esófago
Su movimiento muscular empuja la comida
hasta el estómago.

Hígado
Fabrica bilis, de acción
detergente, que
descompone la grasa en
diminutos glóbulos.

Estómago
Tritura, digiere y almacena los
alimentos durante unas seis
horas.

Vesícula biliar
Almacena la bilis hasta que
sea necesaria.

Páncreas
Libera las enzimas
digestivas que
descomponen el almidón, la
grasa y las proteínas.

Intestino delgado
Principal lugar de absorción
de nutrientes.

Apéndice
No se conoce su función
en humanos.

Recto
Tubo muscular que elimina
las heces a través del ano.

Colon
Absorbe el agua y solidifica el
contenido del intestino.

El sistema digestivo

Para la mayoría de las personas, los cacahuetes son inofensivos, pero para los pocos desafortunados alérgicos al cacahuete, la reacción puede ser violenta y peligrosa.

Incluso los alimentos que forman parte de una dieta sana pueden provocar una reacción negativa. Es el caso de pescados y mariscos, legumbres, trigo, azúcar, fresas y cítricos.

Alergias alimentarias

Existe una gran diferencia entre alergia e intolerancia alimentaria. Una alergia, como la que algunas personas tienen al cacahuete, hace que el sistema inmunitario, el mecanismo de defensa del organismo frente a virus, bacterias y otros intrusos, se active. Una de cada seis personas sufre una alergia alimentaria, a veces de nacimiento, y otras adquirida.

Alimentos como la papaya, el marisco o la fresa, que son inofensivos, en el caso de los alérgicos a ellos pueden hacer que enfermen gravemente por la exagerada respuesta que provocan. La piel puede sufrir un sarpullido, pueden producirse sibilancias, el rostro puede hincharse y el estómago alterarse.

En casos graves de alergia alimentaria, la persona puede sufrir un colapso y, sin una inyección de adrenalina, morir. Este estado se conoce como choque anafiláctico (*véase* pág. 33).

Intolerancia alimentaria

La intolerancia es una reacción adversa a un alimento, pero sin que exista evidencia de que el sistema inmunitario se haya descontrolado ni peligre la vida. Suele producirse cuando el organismo no fabrica una cantidad suficiente de una determinada enzima que digiera adecuadamente ese alimento.

Gluten

Aparte de desencadenar asma, fiebre del heno y eccema, las alergias también son responsables de otros problemas. Por ejemplo, de la enfermedad celíaca, un desarreglo intestinal provocado por el gluten, un componente del trigo y otros cereales; el colon inflamado; el síndrome del colon irritable, la hiperactividad en niños y otros problemas como ataques de pánico, cansancio, depresiones leves, dolor de cabeza y catarros.

Algunas personas con sensibilidad al gluten desarrollan un sarpullido con ampollas. A menudo aparecen en los codos, nalgas y rodillas, aunque pueden afectar a cualquier zona de la piel.

Si padece de dermatitis herpetiforme, no tendrá problemas de digestión, pero se sentirá ligeramente inflado y con más ruidos intestinales de lo habitual. El problema se solucionará con la eliminación del gluten de la dieta.

¿UNA MALA REACCIÓN A LA COMIDA?

Descubrir más de

La piel	20
Reacción alérgica grave	30
Terapia nutricional	130

Si le sienta mal una comida, puede deberse a:
• Una alergia alimentaria en la que el sistema inmunitario cree, erróneamente, que está siendo atacado.
• Un envenenamiento provocado por alimentos contaminados con bacterias.
• Una sensibilización a alimentos que provoca síntomas como la migraña. Puede que el chocolate o el vino tinto sea el desencadenante de un dolor de cabeza.
• Una intolerancia alimentaria en la que el organismo tiene dificultad para digerir un determinado alimento.

Síntomas de una alergia alimentaria

Los síntomas pueden desarrollarse en cuanto se entra en contacto con el alimento. La lengua y los labios pican y tanto los labios como el interior de la boca pueden hincharse. Puede sufrir calambres abdominales, sentir náuseas o sufrir vómitos.

La reacción alérgica también puede manifestarse en la piel en forma de sarpullido, urticaria o angioedema. Otros síntomas de alergia son sibilancias y tos. El alimento también puede provocar un ataque de asma o un problema de piel como el eccema.

Síntomas de una intolerancia alimentaria

No son tan violentos como los asociados a la alergia. Muchas pueden ser crónicas. Puede que sufra dolores de cabeza, o se sienta cansado y deprimido. Si su hijo sufre intolerancia a determinados alimentos, puede volverse hiperactivo.

Puede que sufra úlceras bucales recurrentes, dolor muscular y desórdenes digestivos, como el síndrome del colon irritable o la artritis reumatoide.

Alimentos que pueden provocar alergia e intolerancia

Una persona puede ser alérgica o intolerante a cualquier alimento: huevos, queso, cítricos, repollo, cerdo y muchísimos más. Muchas personas toman alegremente alimentos, como alcohol y café, sin que su organismo los asimile en grandes cantidades, pero sin sufrir, aparentemente, efectos negativos. Algunas personas se enorgullecen de tolerar alimentos picantes, mientras que huyen de alimentos como la tapioca, el brécol, el melón y el arroz. Todo depende del individuo.

La sensibilización al vino tinto o los productos lácteos, como el queso, pueden desencadenar una migraña o algún otro dolor.

Culpables habituales

Los siguientes alimentos son los que más habitualmente provocan reacciones adversas:
• Leche de vaca y sus derivados.
• Frutos secos.
• Trigo.
• Aditivos alimentarios.
• Alcohol.
• Marisco.

El sistema inmunitario

*E*s el sistema de protección del organismo y funciona como un ejército de élite que lucha contra invasores, como bacterias y virus, o cuerpos extraños, como una astilla. Está formado por distintas células, cada una de las cuales cumple su función.

Cuando una alergia activa las defensas del sistema inmunitario, el organismo libera histamina, responsable de los síntomas clásicos de una alergia: nariz, ojos y senos nasales inflamados, irritados y con picor.

La primera línea de defensa del organismo incluye la piel, los pelos de la nariz y la mucosidad de nariz y pulmones. Los ácidos estomacales destruyen a la mayoría de los microorganismos patógenos. Las enzimas de la saliva y las lágrimas también matan las bacterias.

Cuando un intruso consigue atravesar esa primera línea defensiva, se pone en marcha el "ejército de tierra". Se divide en glóbulos blancos, o células B, fabricadas por la médula ósea, y células T, también fabricadas por la médula ósea y que maduran en las glándulas linfáticas.

Las células B producen anticuerpos o inmunoglobulinas. Existen cinco tipos de anticuerpos y uno de ellos juega un papel fundamental en las alergias. Se fijan a la superficie de los cuerpos extraños, o antígenos, como bacterias, para poder destruirlos. Cuando las células invasoras quedan cubiertas por los anticuerpos, son presa fácil de las células T.

El sistema suele funcionar bien y nos protege de la mayoría de las enfermedades, pero depende de que las células B reconozcan al invasor correctamente. A veces, por ejemplo, funciona cuando nos gustaría que no lo hiciera, como en los ataques a un órgano trasplantado.

El sistema inmunitario está programado para recordar al invasor y aniquilarlo al menor indicio de amenaza. De ello se han valido científicos y médicos especialistas en el desarrollo de vacunas.

El fallo en el sistema

Las enfermedades debidas al fallo en el sistema inmunitario abarcan desde el herpes y las infecciones por hongos hasta el sida. En ocasiones, el sistema inmunitario se vuelve contra sí mismo al igual que un ejército puede abrir fuego accidentalmente contra sus aliados. Atacará sus propios tejidos como si fueran sustancias extrañas. Este "fuego amigo" es responsable de la diabetes, el vitíligo y algunas anemias.

La reacción alérgica

Las células B fabrican el anticuerpo de la alergia, o inmunoglobulina E (IgE). Suele producirse como respuesta a parásitos como la tiña o los trematodos del hígado; así que, si vive en el mundo desarrollado, es poco probable que su organismo contenga IgE en grandes cantidades.

Si sufre asma o alergias, sí tendrá niveles elevados de IgE en sangre porque su sistema inmunitario estará hipersensibilizado y entrará en acción contra sustancias que, normalmente, no son dañinas, como los cacahuetes o el ácaro del polvo. Es lo que se conoce como reacción alérgica y la sustancia que la provoca es un alérgeno.

Cuando el alérgeno, que puede ser el pelo del perro, el polen o el ácaro del polvo, entra en el organismo, es confundido erróneamente como una sustancia extraña por el sistema inmunitario, y se inicia un proceso de

EN LAS VÍAS RESPIRATORIAS

La superficie interna de las vías respiratorias está recubierta de cilios. Las partículas del aire quedan atrapadas en la mucosidad y son expulsadas por la acción batiente de los cilios. En esta fotografía de microscopio electrónico, los cilios son verdes, los granos de polen atrapados, naranja y las partículas de polvo, marrones.

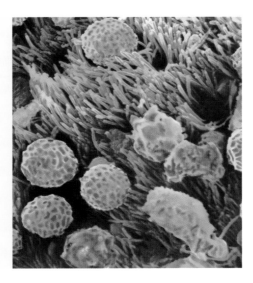

Descubrir más de

Desencadenantes del asma	36
Alérgenos en el aire	42
Pruebas de alergia	60

liberación masiva de IgE en sangre.

Estos anticuerpos se fijan a unas células especiales de la piel, el recubrimiento del estómago, los pulmones y las vías respiratorias superiores, llamadas mastocitos. Estas células liberan diversas sustancias, sobre todo histamina y leucotrienes, responsables de la reacción alérgica. La histamina provoca la hinchazón de los vasos sanguíneos, la pérdida de fluido de los tejidos y la contracción muscular. También atrae a otras células que provocan más daño e inflamación.

Estas sustancias provocan los clásicos síntomas de la alergia: piel inflamada y con picor, estornudos, ojos llorosos, estrechamiento de las vías respiratorias, vómitos y diarrea y, en casos extremos, choque anafiláctico.

Las alergias son el resultado de la exposición a una sustancia, a menudo de bebé o incluso en el seno materno, que activa la síntesis de IgE. Se denomina sensibilización y la reacción alérgica se producirá sólo a la segunda o tercera exposición. Los bebés nacidos cuando hay niveles altos de polen son más propensos a desarrollar fiebre del heno que los nacidos en invierno. Y un niño expuesto a niveles elevados del ácaro del polvo antes de cumplir el año será más propenso a desarrollar asma durante la infancia.

CUERPOS EXTRAÑOS

La función del sistema inmunitario consiste en repeler invasiones como la de los adenovirus, en rojo. Estos virus infectan las vías respiratorias altas y producen síntomas como los del resfriado común.

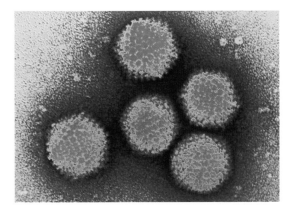

El asma y las vías respiratorias

Los pulmones son capaces de hacer frente a invasores microscópicos. Una tos o estornudo los expulsan, pero si padece asma, su respuesta inmune se activará al respirar cualquier sustancia que le produzca alergia.

El bronquio está tapizado de una capa protectora, la mucosa o epitelio. Algunas células de esta capa producen mucosidad, mientras que otras empujan estas secreciones hasta la boca mediante el movimiento de los cilios que recubren su superficie. La mucosidad es tragada, para ser esterilizada por la acidez del estómago, o expulsada mediante la tos. Los cilios son destruidos al fumar, de ahí que tantos fumadores desarrollen tos con flemas.

Por debajo de la mucosa está la submucosa, que a su vez recubre una membrana muscular. Este músculo se contrae para proteger los alveolos al inhalar algo por error, por ejemplo agua.

El asma se produce cuando las vías respiratorias se inflaman tanto que algunas llegan a bloquearse. Esta inflamación puede deberse a la inhalación de un alérgeno, como el polen. Al inhalar un alérgeno, éste penetra en los pulmones y se aloja en los alveolos. El sistema inmunitario lo reconoce como un intruso, aunque no lo sea, y envía a los anticuerpos que desencadenan la reacción alérgica.

La inflamación es el modo que tiene el organismo para hacer frente a una infección y no suele durar mucho. Sin embargo, en el caso del asma, la inflamación de las vías respiratorias puede prolongarse varias horas. Esto aumenta la mucosidad en los pulmones y los bronquios pueden quedar irritados durante días.

En caso de ataques repetidos, la inflamación no tendrá oportunidad de

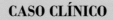

CASO CLÍNICO

Miranda, 35 años, desarrolló asma cuando tenía 25. "Siempre estaba acatarrada, pero jamás me imaginé que eso podría provocarme asma. Después de tres años como maestra, mi salud se deterioró rápidamente y tuve que aprender a vivir con el asma. Me encanta la enseñanza, pero mi asma me impedía ejercerla, hasta tal punto que tuve que plantearme el dejar de trabajar".

Miranda sufría ataques casi diariamente. "Apenas consigues tomar el suficiente aire para que tu cuerpo siga funcionando. Es como si te oprimieran el pecho. Imagine lo que es llevar un corsé muy apretado. Así se siente. Te falta el aire, pero al inspirar no consigues más aire porque duele demasiado.

En cuanto me medico, en diez minutos vuelvo a la normalidad, pero si el ataque es muy malo, puedo tardar días en sentirme bien del todo. Un par de veces pensé que no sobreviviría. Quienes no lo sufren no tienen ni idea del miedo que se puede pasar durante un ataque."

bajar y se desarrollará una enfermedad crónica o duradera. En los casos graves de asma, las vías respiratorias se engrosan y la mucosidad obstruye los bronquios, aunque no se sufra un ataque. También es probable que hasta los asmáticos moderados presenten algún grado de inflamación entre ataques.

El ataque agudo de asma

La inflamación de las vías respiratorias produce un estrechamiento de tres maneras: inundándose de mucosidad, hinchándose la capa interna de los bronquios, o por la contracción de la membrana muscular. En los casos más graves, se producen las tres cosas a la vez y esto se traduce en las típicas sibilancias al intentar respirar. Habrá opresión en el pecho, tos con flemas y la falta de aire. En un ataque agudo, resulta difícil respirar, como si alguien nos estrangulara.

Los síntomas clásicos de un ataque de asma son los siguientes:

• Dificultad para respirar, acompañada de sibilancias, sobre todo al espirar.
• Hiperventilación, o respirar más deprisa de lo normal.
• El pecho se proyecta hacia fuera y cuesta hablar.
• El rostro se vuelve azulado, sobre todo alrededor de los labios. Es una señal de falta de oxígeno.
• El pulso se acelera y se produce sudoración.

Un ataque agudo de asma es motivo de urgencia médica y debe ser tratado en un hospital. El pulso acelerado puede deberse al pánico o ser provocado por el broncodilatador (la medicación que se administra mediante un inhalador) que estimula la liberación de adrenalina.

Descubrir más de

El sistema respiratorio	*18*
Medicamentos para asma	*64*
Tratamientos urgentes	*154*

Durante un ataque de asma, hay que utilizar el remedio de rescate de inmediato. Si en 5-10 min no produce su efecto, hay que llamar a urgencias y continuar con la medicación hasta que llegue la ayuda.

Reacciones alérgicas extremas

El choque anafiláctico, o anafilaxis, es una reacción alérgica grave que afecta a todo el organismo, normalmente minutos después de entrar en contacto con el alérgeno. Dificulta la respiración y a menudo produce un extenso sarpullido.

La lactancia suele reducir el riesgo de padecer asma. Sin embargo, existe un pequeño riesgo de que el bebé quede sensibilizado a través de la leche materna. Para estar seguros, lo mejor es no abusar de los frutos secos mientras se dé el pecho.

La anafilaxis puede provocar dolor de cabeza, picor en la piel, calambres de estómago, náuseas y vómitos, tos y estornudos, dificultad para respirar, convulsiones y pérdida de consciencia. Los principales culpables son las picaduras de abejas y avispas, los cacahuetes y otros frutos secos. Más ocasionalmente, también pueden deberse a sésamo, látex, pescado, marisco, fruta fresca, penicilina y cualquier otro medicamento o inyección, productos lácteos y huevos.

Advertencia: en caso de choque anafiláctico, hay que administrar primeros auxilios de inmediato, antes de recibir asistencia médica. Una inyección de adrenalina puede salvar una vida (*véase* pág. 33).

Alergia a los cacahuetes

Casi una de cada 200 personas puede ser alérgica a los cacahuetes y la mayoría de los colegios tiene algún alumno con alergia a los cacahuetes. Esta alergia está en aumento y se cree que se debe a que cada vez más personas los comen entre horas y cada vez más padres dan a sus bebés alimentos con cacahuetes.

No es fácil protegerse de una anafilaxis y hay que tener cuidado con lo que se come. Por ejemplo, los cacahuetes pueden aparecer en multitud de alimentos y en el chocolate, comidas preparadas, comidas de avión, tartas y postres puede haber trazas de frutos secos.

En octubre de 1993, una chica de 17 años murió tras comer tarta de limón en un restaurante porque contenía cacahuetes, a lo que era alérgica. En otra ocasión, un artista de 19 años murió por una reacción alérgica a los frutos secos que contenía un postre casero.

Los bebés se sensibilizan contra los alérgenos a través de la leche materna y es aconsejable evitar comer grandes cantidades de frutos secos durante la lactancia. Algunas cremas para los

FILTRO DE AIRE HUMANO

Las células de todo el cuerpo están tapizadas de cilios que se mueven rítmicamente. Ente los cilios de la tráquea se encuentran las células acopadas que producen mucosidad que, a su vez, atrapan las partículas del aire y eliminan los gases nocivos, como el ozono y el dióxido de azufre. El exceso de mucosidad puede provocar asma. En la fotografía de microscopio electrónico de barrido, las células acopadas aparecen en color naranja oscuro y los cilios en amarillo.

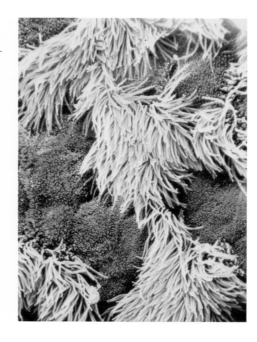

Descubrir más de

¿Qué son las alergias?	*12*
Desencadenantes	*36*
Terapia nutricional	*130*

pezones contienen aceite de cacahuete, al igual que la leche maternizada de los años setenta y ochenta del siglo pasado, que puede sensibilizar al bebé. La mayoría de los fabricantes ya no lo incluyen. Las investigaciones demuestran que las madres pueden sensibilizar a sus bebés contra los cacahuetes antes de nacer ya que parte de las proteínas del cacahuete comido por la madre atraviesan la placenta.

El aceite de cacahuete sin refinar puede provocar una reacción grave, pero el refinado, que elimina la proteína del cacahuete, no provoca reacción alérgica alguna a la mayoría de los alérgicos y, en caso de producirse, la reacción será leve. La industria aceitera ha establecido un etiquetado que indique si el aceite de cacahuete es refinado o no.

Si es alérgico a los cacahuetes, lo mejor es evitar cremas faciales, como las indicadas contra el eccema, ya que contienen aceite de cacahuete. Algunos científicos piensas que hay una relación entre estas cremas y las alergias infantiles a los cacahuetes. Durante la lactancia, evite las cremas para los pezones que contengan aceite de cacahuete.

Picaduras y mordeduras

El veneno de serpientes e insectos puede provocar un choque anafiláctico. Las mordeduras de serpiente no son frecuentes, y pocas personas mueren por ellas. Sin embargo, cada año se producen algunas muertes debidas a una reacción alérgica grave a la picadura de abeja, avispa, o avispón. Además, algunas muertes *misteriosas* de personas mayores de 40 años, que se diagnostican como infartos, pueden deberse a una picadura.

La mayoría de nosotros teme a las picaduras, pero las personas alérgicas a las abejas y avispas lo viven con pánico. Si no reciben una inyección de adrenalina de inmediato, la picadura podría resultar fatal.

Reacciones alérgicas extremas

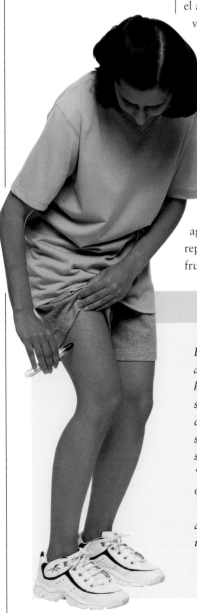

Picaduras de abeja

Las abejas de la miel no son insectos agresivos y únicamente atacan cuando ven amenazada su colonia. Los abejorros tampoco son agresivos, pero picarán si se los pisa. En caso de alergia a las abejas, no se debe pasear descalzo por la hierba.

Cuando una abeja pica, deja clavado el aguijón con el veneno. Puesto que el veneno tarda varios minutos en ser absorbido, hay que arrancar el aguijón enseguida, pero con cuidado porque, si se aprieta, se inyectará el veneno. Lo mejor es arrancarlo con la uña o la hoja de un cuchillo.

Picaduras de avispa

Las avispas son unos insectos muy malhumorados, sobre todo a finales de verano y en otoño. Su aguijón no se desprende y pueden picar repetidamente. Los cubos de basura y la fruta en descomposición son sus lugares favoritos y hay que tener cuidado al recolectar fruta.

Aún pueden encontrarse avispas a finales de otoño y principios del invierno. Tienen sueño y son menos activas, pero igualmente peligrosas.

Cómo evitar la picadura

Si es alérgico a las picaduras de insectos, siga estos consejos prácticos:
- Evite la ropa de color brillante, o negra y los estampados de flores, ya que atraen a los insectos.
- No vaya descalzo en el exterior.
- No utilice perfumes fuertes en verano y tenga cuidado con las cremas bronceadoras, lociones para el cabello y cosméticos que también pueden contener perfume.
- Procure cubrirse brazos y piernas.
- Utilice un repelente para insectos, sobre todo si va a estar al aire libre y sin compañía.
- La comida atrae a los insectos; no la deje descubierta, ni el cubo de la basura.

QUÉ PUEDO HACER

El tratamiento contra una reacción alérgica violenta es la adrenalina, una hormona que libera el organismo en situaciones de peligro. Prepara al cuerpo para hacer frente al estrés. Si sufre reacciones alérgicas graves, siempre debería llevar consigo un "bolígrafo" para inyectar adrenalina, o epi-pen.

El epi-pen aloja en su interior una aguja y es muy sencillo para inyectarse uno mismo. Se puede utilizar con niños a partir de dos años. Si los síntomas no son graves, lo mejor es un inhalador de adrenalina. Si dispone de ambos, lo mejor es llevarlos por si son necesarios. La inyección es la que le salvará la vida.

Si su hijo sufre una alergia grave, comuníquelo en la escuela y asegúrese de que sepan utilizar el epi-pen. Tendrá que enseñar a su hijo a ser escrupuloso y leer las etiquetas, además de contar a los amigos y sus padres el problema que tiene.

Descubrir más de

Sistema inmunitario	26
Alérgenos en el aire	42

- Las avispas se cuelan en las bebidas y los alimentos al menor descuido. Nunca hay que beber de una botella o lata.

- No intente dar un manotazo al insecto. Limítese a alejarse despacio.
- Si un insecto se le posa encima, no tenga miedo. Se marchará en pocos segundos.

PRIMEROS AUXILIOS EN CASO DE CHOQUE ANAFILÁCTICO

CHOQUE ANAFILÁCTICO

El sistema inmunitario se desborda y, segundos después de la exposición a un agente extraño, puede suceder:

- Picor o sabor metálico en la boca.
- Inflamación de la garganta y la lengua.
- Dificultad al respirar a causa del asma o la garganta inflamada.
- Enrojecimiento de la piel.
- Calambres y náuseas.
- Ritmo cardíaco acelerado.
- Sensación repentina de debilidad por una bajada de tensión.
- Urticaria en cualquier parte del cuerpo.
- Colapso y pérdida de consciencia.

MEDIDAS DE EMERGENCIA

- Aflojar la ropa en el cuello y la cintura.
- Comprobar que las vías respiratorias estén abiertas. Colocar a la víctima de manera que respire mejor.
- Si la víctima empieza a vomitar, ladear la cabeza para que no se bloqueen las vías respiratorias.
- Comprobar si el pecho se mueve y pegar el oído a la boca para comprobar si hay respiración.
- Comprobar si hay pulso en el cuello.
- Si la víctima ha sufrido la picadura de un insecto, retire el aguijón con cuidado.
- Aplicar un medicamento de urgencia, si la víctima lo lleva consigo (*véase* recuadro de la página anterior).

Plantas que provocan reacción alérgica: cancuera (superior izda.), prímula (superior), hiedra venenosa (centro) y ortiga (abajo).

2

CAUSAS Y

SOLUCIONES

Un desencadenante es algo que provoca una alergia o ataque de asma. Es una sustancia que pone en marcha una serie de cambios físicos que dan lugar a las sibilancias y falta de aire del asmático; los estornudos y ojos llorosos de los alérgicos y las erupciones de piel de quien sufre eccema. Aunque tenga antecedentes de asma o alergias en la familia, necesitará un desencadenante que se manifieste.

Para la mayoría de las personas, el ejercicio constituye una fuente de salud, pero practicado en exceso, puede provocar un ataque de asma. Consulte al médico antes de realizar algún ejercicio y tenga en cuenta sus propias limitaciones. También puede adoptar medidas para que su entorno esté lo más libre posible de potenciales desencadenantes.

Desencadenantes de alergias

Entre los causantes de asma y alergias está la contaminación, el ejercicio, el estrés y las emociones, factores físicos, laborales, el tiempo y las alergias a alimentos y medicamentos.

En determinadas condiciones climáticas, las emisiones de coches, centrales térmicas y fábricas producen una mezcla tóxica en forma de niebla que cuelga sobre las grandes ciudades.

Contaminación de interior

El principal responsable dentro de casa es el ácaro del polvo, o más bien sus deposiciones. Pertenece a la familia de las arañas y es tan pequeño que el ojo humano es incapaz de verlo. Se encuentra sobre todo en las alfombras, cortinas, colchas, peluches y tapicerías, aprovechando el ambiente húmedo y cálido que se crea en estos enseres.

Las mascotas, sobre todo los gatos, son alérgenos potenciales. Los perros también pueden desencadenar un ataque y algunas personas sufren tos, sibilancias y falta de aire junto al hámster, jerbo, caballo, conejillo de indias, ratas y ratones.

Antiguamente, las casas estaban llenas de corrientes de aire que penetraban por los resquicios de las puertas y ventanas, o por la chimenea, y, según los estudios, el aire se renovaba unas siete veces cada hora. Actualmente, las casas están selladas del exterior y el aire se renueva una vez por hora. El aire está saturado de dióxido de nitrógeno de cocinas de gas sin ventilación, cigarrillos, y sustancias químicas de perfumes y productos de limpieza, todos ellos potenciales desencadenantes y que no tienen escapatoria. El moho también prospera en el interior, sobre todo en las casas más antiguas que pueden tener humedades, y en las modernas, pero mal ventiladas.

Contaminación en el exterior

El cóctel de contaminantes del aire puede desencadenar asma y alergias. Las centrales térmicas de carbón emiten dióxido de azufre y los coches, dióxido de nitrógeno.

Muchas ciudades están cubiertas en verano por una gruesa capa de ozono, parte integrante de la niebla fotoquímica. Esta niebla se produce por la reacción química en el aire, cerca de la superficie terrestre, activada por los rayos del sol. Cuando estos gases reaccionan con el vapor de agua, se produce ácido. Los estudios demuestran que las personas que viven cerca de carreteras tienen más probabilidades de sufrir asma y alergias que las que viven más lejos.

Las esporas y el polen de las plantas pueden provocar fiebre del heno y otras alergias, al igual que el moho. Tanto las esporas como el moho abundan en el compost, en las hojas en descomposición, justo antes de una tormenta y cerca de los campos en verano y otoño.

El tiempo

Las tormentas provocan la ruptura del grano de polen y la liberación de gránulos de almidón, algo malo para los asmáticos. La noche del 24 de junio de 1995, acudieron casi 1.000 personas a 84 hospitales del sureste de Inglaterra, aquejadas de problemas respiratorios. Muchos de esos hospitales se quedaron sin medicamentos.

El brote, que afectó más a los alérgicos que a los asmáticos, fue provocado por una serie de pequeñas tormentas que circulaban por el Canal de la Mancha, se juntaron, bordearon el noroeste de Francia y se dirigieron al sur de Inglaterra donde descargaron al noreste. Es un tipo raro de tormenta que se produce cada tres o cuatro años.

La tormenta se comportaba como una inmensa aspiradora que absorbía los contaminantes, los mezclaba en la atmósfera y los cargaba de electricidad, con lo que se pegaban a los pulmones de las personas. Después, arrojaba los contaminantes de golpe al suelo.

Estas partículas arrojadas al suelo, seguramente granos de polen reventados, fueron las que provocaron los ataques de asma. El impacto fue tal que científicos de España, Italia, Austria, Alemania y Suiza se han unido para investigar la conexión entre el asma y el tiempo. Esperan desarrollar un servicio europeo de predicción de asma fiable.

Es imposible ser alérgico al tiempo, pero su influencia es notable. Las tormentas agitan las partículas alergénicas de la atmósfera y las depositan en el suelo, provocando ataques de asma.

Descubrir más de

Alérgenos en casa	40
Soluciones caseras	48
Contaminación exterior	52

Desencadenantes de alergias

Ejercicio

La mayoría de los asmáticos pueden sufrir un ataque si realizan un ejercicio intenso. Algunos comprueban que su respiración no se relaja de forma natural tras el ejercicio. Sucede más a menudo con tiempo seco y frío.

Esto no significa que el asmático no deba realizar ningún ejercicio. De forma regular y con moderación, y bajo supervisión médica, el ejercicio mejorará su estado. Muchos expertos afirman que la natación es el mejor ejercicio para los asmáticos.

Estrés y emoción

Sentimientos como el temor, la excitación, estar enamorado, pueden literalmente dejarle sin aliento. Los investigadores creen que el estado emocional influye en el asma y las alergias. No existen evidencias de que el estrés provoque asma, pero sí de que lo empeora.

Algunos médicos opinan que existe una "personalidad asmática". Son personas irritables, obsesivas, que se enfadan fácilmente y que siempre están quejándose. Reprimen sus emociones. Algunos niños sufren un ataque de asma después de toser o llorar y, a menudo, es su manera de manipular a los padres.

Otros médicos opinan que no existe esa personalidad asmática. Piensan que, si los asmáticos sienten ansiedad, ello es comprensible ya que temen sufrir un ataque.

Desencadenantes físicos

Los resfriados y las infecciones víricas pueden provocar un ataque de asma, sobre todo en niños. Se trata de un círculo vicioso porque, cuanto más lesionados estén los pulmones, más propensa es la persona a resfriarse. Los médicos recetan a veces antibióticos para mejorar el asma, pero sólo son eficaces contra bacterias, no contra virus.

Desencadenantes laborales

Si el asma aparece tras un cambio de trabajo, o de las condiciones laborales, puede que sufra asma ocupacional. Es fácil de descubrir: empeora en el lugar de trabajo y desaparece los fines de semana y durante las vacaciones.

Alergias a medicamentos

La mayoría de los medicamentos poseen efectos secundarios, y si padece asma o alergia debe tenerlo en cuenta para que la medicación que toma para tratar otras afecciones no aumente las probabilidades de sufrir un ataque. La aspirina y otros medicamentos antiinflamatorios no esteroideos, pueden desencadenar un ataque.

Pobreza

Algunos piensan que el asma, la fiebre del heno y otras alergias son más habituales entre las clases acomodadas. En América, las investigaciones han demostrado que la fiebre del heno es más común entre personas de ingresos elevados, y en Suiza la fiebre del heno es tres veces más habitual entre los profesionales liberales que entre los trabajadores manuales. Sin embargo, los investigadores británicos han descubierto que el nivel de pobreza está directamente relacionado con el asma. Personas mal pagadas, o sin trabajo, y que vivan en casas frías y húmedas tienen el doble de probabilidades de desarrollar asma que las que estén bien pagadas y vivan con comodidades.

Descubrir más de

Estrés	*56*
Soluciones al estrés	*58*
Pruebas de alergias	*60*

Los científicos no han encontrado la evidencia genética, pero está claro que la tendencia a sufrir alergias se hereda. Los miembros de una misma familia pueden ser sensibles a diferentes alérgenos.

¿Son hereditarias el asma y las alergias?

Algunas personas carecen de respuesta alérgica. Pueden comer cualquier cosa, sentarse en medio de un prado recién segado o vivir en una casa vieja y polvorienta, rodeadas de sus mascotas. Pero para otros, la historia es muy diferente, es como si hubieran nacido alérgicos.

No cabe duda de que el asma y las alergias son hereditarias. Si es asmático o alérgico, fíjese bien en su familia y probablemente encontrará un abuelo o un tío con asma, primos con fiebre del heno o eccema, o una tía con alergia alimentaria. Si su madre o su padre son asmáticos, puede que acabe por desarrollar asma. Los estudios muestran que en un grupo de pacientes con alergias como eccema, fiebre del heno, urticaria y asma, la mitad tiene algún familiar que padece de lo mismo.

Si su asma es alérgica, seguramente tendrá en la familia antecedentes de alergias como asma, fiebre del heno y eccema, diagnosticadas todas como atópicas. Normalmente se establece un patrón. En algunas familias, la mayoría de sus miembros sufre fiebre del heno; en otras, sufre asma, etc.

Atópico significa que ha heredado la tendencia a sufrir alergias, aunque no haya heredado la alergia propiamente dicha. El que su madre sea alérgica a los gatos no significa que vaya a padecer la misma alergia. Podría, por ejemplo, sufrir fiebre del heno o alguna intolerancia alimentaria.

Al heredar alguna característica, ya sean los ojos azules y el pelo rubio, o la tendencia a desarrollar una enfermedad, la información para que ello suceda queda impresa en los genes. Los científicos opinan que puede haber muchos genes que nos hacen susceptibles de sufrir alergias.

Alérgenos en nuestra casa

Aunque pensemos que la casa está impecablemente limpia, siempre quedará algún causante potencial de alergias agazapado en las alfombras y almohadas, o flotando en el aire.

El ácaro del polvo es un intruso de todos los hogares. Su escondite preferido es la alfombra, la ropa de cama y los muebles.

El ácaro del polvo se acumula, por millones, en las almohadas y los colchones. Si es asmático, debe tomar medidas para eliminarlo.

El ácaro del polvo

Existen diferentes tipos de ácaros del polvo. Los más habituales en el hemisferio sur son *Dermatophagoides pteronyssinus*, y *Dermatophagoides farinae*, aunque todos se parecen bastante.

Posee una dura cubierta escamosa y unas amenazadoras pinzas y, al microscopio, resulta temible. En realidad, es más pequeño que la cabeza de un alfiler y en un colchón pueden alojarse cómodamente unos dos millones. Alrededor del 10 por ciento del peso de una almohada está compuesto de piel descamada y ácaros del polvo.

Estas criaturas también viven en alfombras y tapicerías,

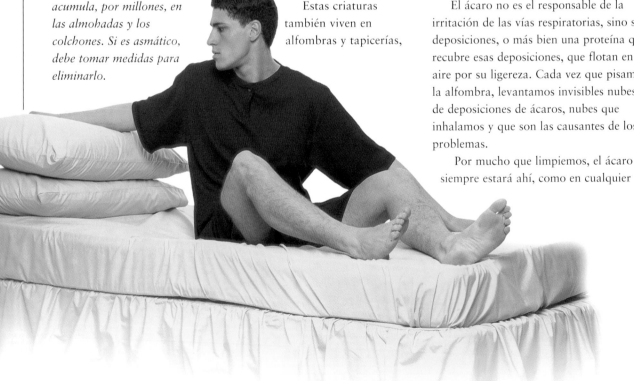

como cortinas y sofás. Hacen sus madrigueras en los peluches y se agarran a la ropa, sobre todo la de lana. Proliferan con la humedad y les encanta la calefacción central y el doble acristalamiento en casas bien aisladas del viento y el frío. La temperatura ideal oscila entre 18 y 21 °C. Si hace demasiado frío, o demasiado calor, no sobrevivirán.

Cada ácaro vive unas 10 semanas y, en ese tiempo, un adulto puede poner entre 50 y 80 huevos. Se alimentan de la piel que se descama de nuestros cuerpos a un ritmo de 1 gramo por día. Su nombre proviene del griego *derma* (piel) y *phagein* (comer).

El ácaro no es el responsable de la irritación de las vías respiratorias, sino sus deposiciones, o más bien una proteína que recubre esas deposiciones, que flotan en el aire por su ligereza. Cada vez que pisamos la alfombra, levantamos invisibles nubes de deposiciones de ácaros, nubes que inhalamos y que son las causantes de los problemas.

Por mucho que limpiemos, el ácaro siempre estará ahí, como en cualquier

MOHOS Y ESPORAS

Entre los habituales desencadenantes de alergias se encuentran el moho y las esporas. Proliferan en hogares húmedos, en compost y en la atmósfera húmeda de un invernadero. La fotografía de microscopio electrónico de barrido muestra el cuerpo fructífero del moho del pan. Las esporas forman una cápsula y luego se dispersan en el aire. Cuando aterrizan sobre una rebanada de pan, germinan y se desarrolla el moho.

Descubrir más de

El sistema respiratorio	18
El sistema inmunitario	26
Soluciones caseras	48

edificio con tapicerías, incluyendo los cines. Se acurrucan en las costuras de la tapicería, alrededor de los botones y bajo los cojines.

El ácaro del polvo se ha vuelto más un importante desencadenante del asma desde que las personas pasan cada vez más tiempo dentro de casa, viendo la televisión o entreteniéndose con juegos de ordenador.

Moho y esporas

Cuando pensamos en el asma, casi nunca lo relacionamos con el moho. El moho pertenece al grupo de los hongos y se reproduce por esporas. Los champiñones y las setas también son hongos, pero el moho es mucho más pequeño y coloniza la vegetación en descomposición, las paredes húmedas y la madera muerta. Son esas motitas verdes en el pan caducado y en los quesos como el roquefort o stilton.

El moho lo cubre todo, y en cada metro cúbico de aire existen decenas de millones de esporas, muchas más que granos de polen o deposiciones de ácaros.

La mayoría de las esporas son inofensivas y no causan el menor problema, pero en los países fríos y húmedos del norte de Europa, existen unos 20 mohos capaces de provocar alergias y asma. Se puede realizar una prueba para saber si se es alérgico a un moho en particular (*véase* pág. 61).

EMPASTES DE AMALGAMA

Muchas personas llevan empastes de amalgama. Aunque existen alternativas sintéticas, doradas y blancas, muchos dentistas siguen empastando con este metal gris porque es más barato y resistente. Las personas de más de treinta años puede que tengan la boca llena de amalgama porque sus dentistas rellenaron los dientes sanos para evitar que se picaran. Esta práctica ya no es habitual.

Las trazas de mercurio presentes en la amalgama pueden desprenderse y provocar multitud de síntomas: dificultad para concentrarse, mala memoria, dolor de cabeza y problemas circulatorios. Algunos investigadores piensan que el asma, el eccema y otras alergias pueden desencadenarse por las amalgamas dentales.

Alérgenos en el aire

Polen

El polen es el polvillo que tienen las flores, que equivale al semen humano, y que fertiliza a otras flores del mismo tipo. Es transportado por el viento, o pegado a las patas de abejas y mariposas, hasta que aterriza sobre el estigma, o parte femenina, de la planta.

Cuando el viento sopla en los ojos y nariz de personas alérgicas, desencadena una reacción alérgica. Los anticuerpos activados por la reacción se pegan a los mastocitos y los obliga a liberar las sustancias inflamatorias que producen los síntomas de la fiebre del heno.

El polen que provoca fiebre del heno o asma no proviene, pese al nombre, del heno, sino de hierbas, árboles, plantas en flor y hongos. En Australia, Nueva Zelanda y Sudáfrica, el polen de la hierba y del árbol es la fuente de alérgenos más común.

Los cultivadores de árboles frutales, y las personas que viven cerca, sufren fiebre del heno en primavera, cuando florecen los árboles.

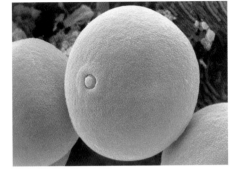

El polen de la hierba timotea es muy ligero y se dispersa fácilmente en el aire. Es un desencadenante habitual de la fiebre del heno.

Las alergias no sólo se deben al polen de las flores; los pólenes de pino, plátano, abedul, olmo o fresno también pueden producir un ataque. Además, no sólo se producen reacciones alérgicas en verano. El polen de las huertas de manzanas y ciruelas puede provocar fiebre del heno entre la población local y es bien sabido que los floristas suelen desarrollar alergias a los productos que venden.

La fiebre del heno tiende a ser algo más común en las ciudades que en las zonas rurales. En Escandinavia, por ejemplo, es más habitual en las ciudades, y lo mismo sucede en otras partes del norte y el este de Europa. Los italianos tienen el doble de probabilidades de sufrir fiebre del heno si viven en una ciudad que si viven en el campo.

Sin embargo, en los países secos, suele suceder al contrario. Suele haber muchas plantas, pero, al haber poco viento y casi nada de lluvia, su polen tiende a localizarse alrededor de los campos. En todos los países africanos, la fiebre del heno es prácticamente desconocida, aunque en la India, en cambio, es bastante común.

Mascotas

Por limpia y libre de hongos y ácaros que esté la casa, ninguna persona aquejada de asma debería tener un animal en casa. Alrededor de la mitad de los asmáticos son sensibles a los alérgenos producidos por los animales, principalmente gatos y perros. Si un bebé con tendencia a heredar alergias entra en contacto con gatos durante sus primeros meses de vida, tendrá un 80 por ciento de probabilidades de desarrollar una alergia más adelante.

Gatos

Son unos animales escrupulosamente limpios y pasan gran parte del día acicalándose; y ése es precisamente el problema. Al lamerse, dejan partículas de su saliva depositadas sobre el pelo. La saliva contiene una proteína que, al secarse, es transportada por el aire y constituye el principal alérgeno para las personas afectadas, con independencia de que el gato sea de pelo corto o largo.

Los gatos producen más alérgenos que los perros, por su afición a limpiarse, y por eso hay más personas alérgicas a ellos. La mayoría de los alérgicos a gatos lo saben en cuanto el animal salta sobre su regazo —los gatos parecen sentir predilección por personas a las que no gustan—, pero ni siquiera hace falta entrar en contacto físico con un gato, ni tiene por qué haber un gato en la casa. La proteína de la saliva del gato sobrevive en casas donde este animal no ha puesto una pata en años.

La proteína de la saliva es el principal alérgeno, pero el pelo y las escamas de piel también pueden provocar síntomas porque llevan pegada esa proteína.

Perros

Aunque es menos probable que provoquen una reacción alérgica, los perros pueden causar asma, rinitis y eccemas. Además de proteínas salivares en las descamaciones, los perros también segregan alérgenos en las heces y orina.

Amigos con plumas

Los animales con pelo no son los únicos causantes de alergias. Las aves también pueden provocar una alergia y los dueños de loros, canarios, periquitos y otros pájaros pueden desarrollar alergias a sus deposiciones y plumas, lo que produce una enfermedad conocida por el nombre de alveolitis, caracterizada por la inflamación de los alveolos causada por la reacción alérgica.

Cucarachas

La alergia a las cucarachas se registra en países cálidos. En Estados Unidos, hasta el 30 por ciento de los alérgicos, sobre todo niños de ciudades del interior, son sensibles a las heces y partículas de piel de las cucarachas.

Descubrir más de

Sistema inmunitario	26
Soluciones en el exterior	54
Tratar la fiebre del heno	68

Los loros y los gatos se cuentan entre las mascotas que pueden provocar una reacción alérgica. Para los asmáticos, en especial, la única solución es evitar tener un animal en casa.

Irritantes y alergias en el trabajo

Aunque nuestro hogar esté libre de alérgenos, podemos estar expuestos a ellos en el trabajo. Se cree que uno de cada 330 trabajadores puede estar afectado por asma ocupacional, pero seguramente son más.

La alergia ocupacional más habitual es la inflamación de la piel, o dermatitis de contacto. El asma ocupacional, cuyos síntomas son producto del trabajo, es responsable del 2 por ciento del asma entre adultos y es la segunda causa de alergia ocupacional. Algunos trabajadores sufren rinitis alérgica y conjuntivitis.

El asma ocupacional y las alergias son causa importante de enfermedades ocupacionales, pero no se conocen mucho. Algunas personas temen quejarse a sus jefes, por miedo a perder el trabajo, pero miles de ellos tienen que dejar sus trabajos cada año por culpa de un asma ocupacional.

Irritantes de interior

Cualquiera que entre en contacto con partículas suficientemente pequeñas para ser inhaladas, corre un riesgo. Existe una larga lista de sustancias químicas que pueden provocar alergias, pero dos de las peores son el di-isocianato, sobre todo el de tolueno empleado en pinturas y barnices o espumas de uretano, y los gases de colofonia que se desprenden al soldar. Los técnicos hospitalarios desarrollan alergias a los productos utilizados para revelar radiografías.

No todos los irritantes en el trabajo son sustancias químicas. Los panaderos pueden desarrollar alergia a la harina; los trabajadores de laboratorios a las proteínas de la orina animal y los que trabajan en la industria alimentaria, al salmón, el cangrejo y las gambas.

No son únicamente los trabajadores de fábricas y granjas los expuestos a sustancias susceptibles de provocar reacción alérgica. Las oficinas modernas también pueden ser un lugar peligroso. Las impresoras y fotocopiadoras emiten partículas y gases tóxicos. Además, los despachos suelen estar mal ventilados. Las alfombras y sillas de oficina pueden desprender gases. Las alfombras, por ejemplo, pueden exudar una combinación de gases nocivos entre los que se encuentran el formaldehído, el tolueno y el benceno.

Si dedica mucho tiempo a trabajos de bricolaje, es fácil que entre en contacto con algunas sustancias nocivas. El formaldehído provoca sequedad e irritación de garganta y puede afectar a los ojos y las vías respiratorias. Se trata de un alérgeno desconocido por la mayoría, pero que se encuentra por todas partes: en el contrachapado, el papel, los cosméticos, las fotografías, las espumas y los cueros. Aunque ya no huela, libera sus gases por espacio de veinte años.

Guantes de látex

En los hospitales y clínicas dentales los guantes de látex protegen de infecciones, incluyendo VIH y hepatitis. Los guantes están empolvados con almidón para

Los equipos y muebles de oficina pueden emitir sustancias tóxicas, y las ventanas selladas, características de muchas oficinas, impiden la dispersión de estas peligrosas sustancias.

¿EL TRABAJO LE ENFERMA?

El trabajo puede ser la causa de sus problemas si:
• Los síntomas comienzan poco después de cambiar de trabajo o de condiciones laborales.
• Los síntomas mejoran durante el fin de semana y en vacaciones.

Existen dos tipos de asma ocupacional. El más habitual es el asma ocupacional latente que se desarrolla cuando uno ya lleva algún tiempo realizando su trabajo. Eso explica por qué en algunas industrias los trabajadores nuevos, o los aprendices, sufren menos problemas, y

de menor importancia, que sus colegas más experimentados.

El segundo tipo es el que produce opresión en el pecho, sibilancias, falta de aire y una tos seca. Suele deberse a la concentración de alérgenos en el aire.

Algunas personas sufren una reacción tardía: sus síntomas no sólo se producen en el trabajo sino durante varias horas después. La sibilancia, o el sarpullido, puede durar todo el fin de semana, confundiendo sobre el verdadero origen de la alergia.

Descubrir más de

La piel	*20*
El sistema inmunitario	*26*
Desencadenantes de alergias	*36*

Los guantes de látex utilizados por los trabajadores sanitarios pueden provocar reacción alérgica. Existen alternativas, pero son caras.

lubricarlos. El almidón se une a las proteínas del látex y las transporta por el aire.

Estas partículas pueden provocar asma y dermatitis en uno de cada 10 portadores de guantes de látex. Si un alérgico al látex es operado por un cirujano que lleve estos guantes, y el látex entra en contacto con su sangre, puede sufrir un choque anafiláctico. En caso de sufrir esa alergia, hay que avisar al cirujano ante cualquier intervención.

Si trabaja en un hospital, donde el aire está cargado de látex, puede que tenga que buscar otro trabajo. Puede bastar con que evite el látex. Un estudio finlandés entre trabajadores sanitarios determinó que el 3 por ciento era alérgico al látex. Un estudio realizado en una fábrica canadiense de guantes de látex reveló que el 3,7 por ciento de los trabajadores eran asmáticos por culpa del látex.

El síndrome del edificio enfermo

En las oficinas modernas, los alérgenos se reciclan a través del sistema de ventilación. Los perfumes, los productos de limpieza en seco, la tinta de impresoras provocan malestar entre las personas alérgicas.

Además, las esporas de hongos crecen en los conductos de aireación y los depósitos de agua, y los ácaros viven en el mobiliario. Algunos científicos creen que una de las principales causas del síndrome del edificio enfermo es el gas desprendido por el moho y los hongos que proliferan en el ambiente húmedo de los sistemas de aire acondicionado. Los mohos como el aspergillus y el mildiu producen gases como el benceno que pueden provocar una reacción alérgica. Los inviernos y veranos húmedos son ideales para el crecimiento del moho, y los sistemas de aire acondicionado son zonas reproductoras muy fértiles.

Medicamentos y aditivos

Tabaco

Casi todo el mundo sabe que fumar es malo para la salud, pero aun así, entre el 15 y el 20 por ciento de los asmáticos son fumadores, a pesar de que empeora sus dificultades para respirar. Las embarazadas fumadoras aumentan el riesgo de que sus bebés sean asmáticos o sufran otros problemas respiratorios.

El humo del tabaco contiene 4.000 sustancias químicas, en forma de gas o de diminutas partículas. La nicotina estimula el sistema nervioso central, aumenta el ritmo cardíaco, eleva la tensión y es muy adictivo. El alquitrán, que se acumula en el borde del filtro del cigarrillo, se pega a los pulmones y es gradualmente absorbido. Contiene una serie de sustancias nocivas, incluyendo formaldehído, arsénico, cianuro, benceno, tolueno y monóxido de carbono, todas las cuales interfieren en los glóbulos rojos, disminuyendo su contenido en oxígeno.

Las pruebas que relacionan el tabaco con diversas enfermedades graves son abrumadoras. Si es asmático, fumar sólo empeorará su situación.

Fumadores pasivos

No hace falta fumar para inhalar el humo del tabaco. Cada vez que entramos en un bar recibimos una bofetada de tabaco y, en caso de sufrir asma grave, deberían evitarse esos lugares. Los hábitos de los fumadores pueden amargarnos la vida y, si vivimos con un fumador, hay poca escapatoria de los peligros relacionados con el tabaco.

Muchos estudios asocian el asma con el tabaco. En uno de ellos se comprobó que 8 de cada 10 asmáticos se sentían peor en un ambiente con humo.

Fumar pasivamente duplica el riesgo de que un niño desarrolle asma. Los hijos de fumadores tienen más probabilidades de sufrir sibilancias y faltar al colegio que aquellos cuyos padres no fuman. Suele ser peor cuando la madre es quien fuma, porque muchos niños pasan más tiempo con ella que con el padre.

La tos y las flemas crónicas son más habituales entre los hijos de fumadores, los cuales, además, inhalan nicotina en una cantidad más o menos equivalente a fumar de 60 a 150 cigarrillos por año.

Aditivos alimentarios

Los alimentos preparados contienen una enorme cantidad de aditivos para conservar, dar color y sabor. Existen unos 3.500 aditivos, algunos naturales. Resultan difíciles de evitar y se estima que ingerimos unos 4,5 kg de aditivos por año, aunque en países como Estados Unidos, esa cantidad es mucho mayor.

Algunos médicos opinan que dosis altas de estos aditivos pueden hacer que los niños se vuelvan hiperactivos, más propensos a accidentes, irritables, distraídos, inquietos e impredecibles. Los estudios pediátricos han demostrado que los colorantes y conservantes son la principal causa de problemas asociados con la hiperactividad, o desorden del déficit de atención, y otros investigadores han descubierto que algunos colorantes artificiales pueden interferir en la digestión.

Muchas personas alérgicas quisieran culpar de ello a los aditivos alimentarios, pero en realidad no hay tantos que provoquen una reacción alérgica. Sin embargo, unos cuantos sí lo hacen y algunos países han prohibido su uso. Los aditivos aprobados en Australia y Nueva Zelanda (y pronto en Sudáfrica) son los mismos que los aprobados por la Unión Europea.

Algunos médicos opinan que sustancias como insecticidas, fungicidas y herbicidas utilizados sobre alimentos provocan asma. El gas etileno, utilizado para hacer madurar los plátanos, y la cera de parafina, utilizada para dar brillo a frutas y hortalizas, también puede provocar una reacción asmática.

El glutamato monosódico, un potenciador del sabor utilizado en la comida china y como ablandador de la carne, provoca asma y otras reacciones, entre las cuales el dolor de cabeza es la más conocida.

Alergias a medicamentos

Aunque se pueden experimentar los efectos secundarios de un medicamento, las alergias son más raras. A veces no es fácil distinguir entre un efecto secundario y una alergia a un medicamento. Es importante informar al médico del efecto que nos produce ese medicamento ya que nuestro sistema inmunitario tiene buena memoria y es importante saber qué sustancias nos producen una reacción adversa. Es más probable que desarrollemos una alergia a un medicamento ocasional, o a uno inyectado, que a uno ingerido de manera habitual.

Principales culpables

• La aspirina y otros antiinflamatorios no esteroideos pueden provocar un ataque de asma en el 2 al 4 por ciento de los asmáticos, sobre todo en mujeres de mediana edad. Los síntomas incluyen sarpullido, enrojecimiento y moqueo,

además de un estrechamiento de las vías respiratorias.

Este medicamento, junto con el aditivo alimentario tartracina y el ácido benzoico, impiden la producción de prostaglandinas, implicadas en la percepción del dolor, por lo que un analgésico eficaz paraliza su síntesis.

Pero las prostaglandinas también afectan a las vías respiratorias. Algunas las relajan y otras las contraen. La aspirina y los antiinflamatorios no esteroideos pueden alterar el delicado equilibrio de las vías respiratorias, ya de por sí inflamadas, de los asmáticos y provocar un ataque.

• Los antibióticos, sobre todo amoxicilina y trimethoprim, pueden provocar un sarpullido grave. Es poco probable que una persona sea alérgica a todos los antibióticos, de modo que el médico debe confeccionar una lista de aquellos que hayan producido una reacción adversa para prescribir uno distinto en la siguiente ocasión. Si desarrolla un sarpullido poco después de tomar un antibiótico debe interrumpir el tratamiento y consultar con el médico o farmacéutico. Los antibióticos pueden provocar un choque anafiláctico, aunque no es habitual. El alérgico a antibióticos debe evitar también la aspirina.

• Las inyecciones antitetánicas pueden provocar un choque anafiláctico.

Descubrir más de

Alergias alimentarias	*24*
El sistema inmunitario	*26*
Naturopatía	*132*

Soluciones caseras

Para muchas personas, una casa no es un hogar si no dispone de calefacción central, alfombras, cómodos muebles y pesadas cortinas. Pero si algún miembro de la familia padece asma, no es buena idea. Las investigaciones indican que lo mejor es dejar el suelo desnudo, instalar persianas y comprar sillas de cuero.

Los ácaros del polvo se mantienen alejados del dormitorio con fundas microporosas. Otra recomendación consiste en lavar la ropa de cama a temperaturas elevadas.

La mejor manera de combatir el asma y las alergias es evitar la sensibilización. Un estudio realizado en el Reino Unido y Estados Unidos sobre 67 niños demostró que la exposición temprana al ácaro del polvo sensibilizaba a los niños en relación directa a la cantidad de ácaros encontrados en el hogar. El mensaje es claro: hay que criar a los niños en ambientes libres de alfombras, con las ventanas abiertas y la calefacción baja. De ese modo crecerán sanos y sin asma.

¿Qué se puede hacer para que la casa esté libre de alérgenos? Los estudios apuntan al hecho de que los ácaros mueren por congelación o por temperaturas superiores a 55 °C, por luz solar fuerte, con limpieza en seco y por la acción de algunos limpiadores en aerosol. Hay que pasar el aspirador o quitar el polvo con un trapo húmedo; si el trapo está seco esparcirá los alérgenos por el aire.

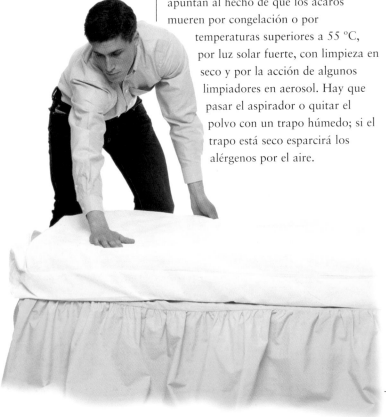

Ropa de cama

La exposición al ácaro del polvo se reduce drásticamente si el colchón, el edredón y la almohada están cubiertos con fundas que dejan pasar la humedad, pero impiden el paso de los ácaros. Estas fundas son mejores que las antiguas de plástico, impermeables y con tendencia a acumular moho en su interior.

Cada semana hay que limpiar la funda, ya que los ácaros se acumulan en la superficie. Las sábanas, fundas de almohada y de edredón deberían lavarse una vez a la semana a 60 °C o más. Si el congelador es lo suficientemente grande, lo ideal es meter la ropa de cama en una bolsa y congelarla toda una noche, después se descongela y se lava a temperatura elevada. Las temperaturas bajas no matan al ácaro.

Muebles

Elija una cama de madera o metal, sin canapé, y con un cabecero sencillo y sin tapizar. Si los niños duermen en literas, el que tenga asma debería dormir en la de arriba.

En el dormitorio hay que evitar los muebles tapizados y en el resto de la casa deberían estar tapizados en cuero y no en tela. Si los muebles están tapizados, deben limpiarse con aspirador una vez por semana. Las persianas son mejores que las cortinas, pero en caso de tener cortinas, deberían lavarse cada dos o tres meses.

Descubrir más de

Alérgenos en nuestra casa   40

Soluciones en el exterior   58

Los suelos de baldosas, las superficies limpias y una abundancia de muebles sin tapizar contribuyen a un hogar sin alérgenos.

Suelos

Las alfombras son muy cálidas y agradables, pero proporcionan un refugio para los ácaros del polvo. Se puede reducir drásticamente la cantidad de ácaros sustituyendo las alfombras por baldosas de corcho, linóleo o vinilo. La tarima de madera es estupenda para toda la casa y puede animarse con alfombrillas de pelo corto.

Algunos científicos opinan que muchas personas han ido demasiado lejos eliminando las alfombras y reduciendo el dormitorio a una celda de prisión. Si bien las alfombras constituyen un hogar para el ácaro del polvo, muchos médicos opinan que la ventilación es igual de importante. Si es posible, duerma con la ventana abierta. El aire fresco mantendrá su pecho descongestionado y matará a los ácaros.

LOS ASPIRADORES

Cada día, miles de personas pasan el aspirador y friegan sus casas de arriba abajo para eliminar los ácaros, pero sus esfuerzos pueden resultar en vano. El ácaro se pega a su hábitat y por mucho que pasemos el aspirador, seguirá pegado. Aunque consigamos eliminar unos cuantos, el resto se reproducirá rápidamente y compensará las pérdidas sufridas en una semana.

El aspirador puede que no elimine los ácaros, pero siempre es mejor que no aspirar, aunque sólo sea para eliminar las deposiciones y los ácaros muertos. Hay que elegir uno capaz de eliminar ácaros y utilizarlo cuando el asmático no esté presente. El aspirador esparce el polvo por el aire durante una media hora.

Los aspiradores normales suelen llevar bolsas porosas y las deposiciones de los ácaros atraviesan esos poros y son expulsadas al exterior. Algunos modelos de aspiradores disponen de filtros y bolsas más herméticas que atrapan las deposiciones de los ácaros y las dejan encerradas en el interior.

Soluciones caseras

Mascotas y juguetes

A pesar de que las mascotas, especialmente los gatos, albergan multitud de alérgenos, la mayoría de sus dueños disfrutan abrazándolas, pero, aunque evite tocar o acariciar al animal, puede sufrir una reacción alérgica ya que los alérgenos se esparcen por el aire.

Una solución, la mejor, es no tener ningún animal en casa. Sin embargo, si no puede desprenderse de su mascota, una decisión muy difícil, deberá airear la casa y asegurarse de que la mascota no entre en el dormitorio, y que pase la mayor parte del tiempo fuera de casa.

Algunos médicos recomiendan bañar regularmente al animal y lavar su cama. Así se reduce la cantidad de alérgenos que portan, aunque en el caso de los gatos, bañarlos, sobre todo regularmente, puede ser bastante complicado.

Para los niños, desprenderse de su peluche puede resultar aún más difícil que desprenderse de la mascota. Para matar los ácaros que contiene, se debe congelar el peluche en una bolsa de plástico toda la noche y, si es lavable, lavarlo a 60 ºC.

Limpiadores y sustancias químicas

Los acaricidas son sustancias que matan ácaros y garrapatas. Hay que fumigar alfombras y tapicerías con ellos, al menos dos veces al año y, sobre todo, pasar el aspirador después para eliminar los ácaros muertos y también sus deposiciones causantes de asma.

Las sustancias químicas empleadas son el ácido tánico, crotamitón y benzoato de bencilo, irritantes para la piel. Algunos médicos sostienen que los acaricidas y deshumidificadores tienen poco impacto sobre la cantidad de ácaros.

Filtros de aire e ionizadores

El aire está repleto de diminutas partículas con carga positiva o negativa. Los ionizadores cambian la polaridad de las cargas positivas y así las eliminan del aire. Los ionizadores son baratos, pero no afectan demasiado a la cantidad de alérgenos del aire. Igualmente, los purificadores electrostáticos son capaces de limpiar la atmósfera cargada de humo de un bar, pero no afectan a los alérgenos.

Los filtros de aire de alto rendimiento reducen el nivel de alérgenos en el aire, pero no controlan las "nubes" de

Si su hijo puede prescindir de su peluche una vez por semana, métalo en una bolsa de plástico y congélelo toda la noche. Las bajas temperaturas matarán a los ácaros y sus huevos.

alérgenos producidos por el movimiento. El lugar ideal para estos filtros es una zona de la casa poco transitada, como el dormitorio.

Ropa

No hay evidencias de que el algodón sea mejor que la lana a la hora de minimizar el riesgo de un ataque de asma, aunque las mantas de algodón son mejores que las de lana. Lleve lo que lleve, recuerde que la ropa puede estar repleta de ácaros y que debe ser lavada a 60 °C.

Las personas de piel sensible y con alergias en la piel pueden notar que la lana empeora su eccema. Esto se debe a la textura de la lana, que puede picar, y a su contenido en lanolina.

Preservativos

Los preservativos pueden provocar a los portadores, o a su pareja, picor o molestias en los genitales en caso de ser alérgicos a ellos. No suele ser el látex la causa del problema, sino los aditivos utilizados en los agentes espermicidas.

La mayoría de los fabricantes de profilácticos ofrece alternativas fabricadas con materiales que no producen alergias y cuyo lubricante es de base acuosa y sin espermicida.

Humedad

El dormitorio y el salón deben ventilarse a diario para reducir la humedad. Durante la época de polinización, hay que hacerlo de noche, cuando hay menos concentración de polen. La ropa debe secarse en el exterior o con secadora, nunca en el radiador, y hay que instalar extractores en el cuarto de baño y la cocina.

Una casa húmeda no sólo es un paraíso para los ácaros sino que favorece

Descubrir más de

Alérgenos en nuestra casa   40

Soluciones en el exterior   54

La limpieza es esencial para mantener a los ácaros alejados de nuestra ropa. Si padece un eccema y los detergentes en polvo y suavizantes le irritan más la piel, aclare la ropa dos veces para intentar reducir el problema.

el desarrollo de hongos. Para evitar problemas hay que secar la condensación de las ventanas, utilizar deshumidificadores y aire acondicionado, tirar la comida mohosa y lavar las cortinas de ducha con regularidad.

Contaminación exterior

A menudo se asocia la contaminación con el humo de fábricas y con la niebla espesa. Resultan visibles y, a menudo, evitables, pero muchos de los contaminantes actuales no lo son, aunque a veces se pueda ver una fina boina sobre las ciudades.

La mayoría de los contaminantes se deben a la combustión de carburantes, como el petróleo, el carbón y el diésel. El número de automóviles ha aumentado espectacularmente y el humo de los tubos de escape se ha incrementado casi en tres cuartos en algunos países.

Principales contaminantes exteriores

• El dióxido de nitrógeno (NO_2) es emitido por los coches y está en aumento. Sin embargo la exposición es mayor en los hogares con cocina y calefacción de gas.

• El monóxido de carbono en otro gas emitido por los coches. Reduce la cantidad de oxígeno en sangre y a concentraciones elevadas produce dolor de cabeza y somnolencia.

• Los óxidos de nitrógeno (dióxido de nitrógeno y óxido nítrico) provocan la lluvia ácida. Irritan los pulmones y agravan el asma.

• El ozono es producido cuando la luz del sol reacciona con el oxígeno y produce ozono. En concentraciones elevadas, puede dañar los pulmones y el sistema inmunitario. Curiosamente, la capa de

IRRITANTES EN EL TRABAJO AL AIRE LIBRE

SUSTANCIA	OCUPACIÓN
PRODUCTOS ANIMALES, sobre todo orina	Trabajadores de laboratorio, criadores de animales, veterinarios, granjeros
GARRAPATAS	Granjeros
PRODUCTOS DE LOS INSECTOS	Criadores de gusanos de seda, larvas, mariposas, abejas
ESPORAS DE HONGOS	Granjeros, albañiles y decoradores (durante la renovación de viejos edificios)
PESTICIDAS	Granjeros, agricultores
POLVO VEGETAL	Cultivadores de café, tabaco y soja
POLVO DE MADERA	Carpinteros
CONSERVANTES DE MADERA (formaldehído, lindano, pentaclorofenol)	Cualquiera que trabaje con madera

Descubrir más de

Una visión de conjunto 16
Desencadenantes de alergias 36
Soluciones en el exterior 54

*Las centrales térmicas,
los coches, los camiones y
las fábricas son los
principales contribuyentes
a la contaminación
atmosférica.*

ozono de la atmósfera es cada vez más fina, allí donde nos protege de los efectos dañinos de la luz ultravioleta.

• El dióxido de azufre (SO_2) se produce al quemar carbón. Su principal fuente son las centrales térmicas. Empeora los problemas respiratorios al estrechar las vías respiratorias. Su nivel es muy alto en ciudades con muchos coches.

• El aire ácido se produce cuando los gases, como el dióxido de nitrógeno y el dióxido de azufre, reaccionan con el vapor de agua. No se sabe mucho sobre sus efectos.

• Las partículas son motas de suciedad, barridas por el viento, o de carbón o diésel. Son la causa del olor del tráfico. Los camiones y los coches diésel emiten la cuarta parte de las partículas del aire, aunque en las ciudades esta cantidad puede ser mucho mayor. Las partículas diminutas pueden penetrar en los pulmones y agravar un problema respiratorio.

• Los compuestos orgánicos volátiles son gases, como los hidrocarburos aromáticos y el benceno, productores de la niebla espesa. El benceno, que es cancerígeno, es emitido por los tubos de escape y las gasolineras, al repostar.

Efectos de la contaminación

Está comprobado que los ingresos en hospitales por culpa del asma aumentan con los niveles de contaminación, y que el tráfico denso produce dificultades respiratorias en los niños.

Los investigadores opinan que otros desencadenantes, como el ácaro del polvo o el polen, pueden afectar a los asmáticos más que la contaminación del aire. Además, no existen pruebas de que la contaminación provoque asma. En el este de Europa, y en ciudades como Los Ángeles y México D.F., sufren una gran contaminación, pero las tasas de asma son bajas.

Soluciones en el exterior

La contaminación puede no ser la causa del asma, pero puede empeorarlo. Es imposible protegerse íntegramente de la contaminación exterior. Sin embargo, se pueden seguir unos sencillos pasos de sentido común.

• Cuando la contaminación sea muy elevada, la televisión y la radio avisarán del riesgo. Procure no salir a la calle en esos días.

• No haga ejercicio al aire libre en zonas contaminadas y, si va al trabajo en bicicleta, póngase una máscara.

• Si sufre asma o alergia en el trabajo, informe a su sindicato.

• Procure vivir lejos de la carretera o una fábrica si alguien sufre asma en casa.

Niveles de polen

La mayor parte del polen es liberado por la hierba durante la mañana, asciende con el calor del día y es transportado por el viento hasta las ciudades. Al enfriarse el aire por la noche, la nube de polvo desciende y el nivel de polen aumenta.

Los niveles de polen oscilan entre 30 y 400. Se miden con un instrumento que absorbe aire y calcula la media de los granos de polen que hay por metro cúbico de aire en 24 horas. La cantidad a partir de la cual se desencadena la fiebre del heno depende del tipo de polen. Un nivel de 50 basta para provocar síntomas en la mayoría de los alérgicos.

En los días lluviosos o ventosos, el nivel de polen suele ser bajo, pero los días secos y con un ligero viento son los ideales para el desprendimiento del polen de la planta. Una buena idea es mantener un diario con los niveles de polen

El medidor de polen proporciona datos para calcular la cantidad media de polen, esencial para los alérgicos. El instrumento de la imagen es una trampa volumétrica de esporas que registra los datos de siete días.

El ejercicio moderado es bueno y fortalece los pulmones, pero es mejor no practicarlo en tiempo frío y seco, y evitar zonas de tráfico denso.

GAFAS DE SOL

Los investigadores han descubierto que proteger los laterales de las gafas de sol con papel o un plástico transparente puede evitar que el polen entre en contacto con los ojos, y es mucho mejor que llevar unas gafas inadecuadas. Muchos alérgicos son también sensibles al sol fuerte, y las gafas de sol suponen un alivio.

Durante la época de polinización, la radio proporciona información detallada sobre el nivel de polen. También advertirá sobre la calidad del aire.

registrados y la gravedad de los síntomas, para determinar la cantidad que desencadena la alergia.

Cómo evitar el polen

Una de las mejores maneras de evitar la fiebre del heno es evitando el polen. A continuación se sugieren algunas medidas a tomar en la época de polen:

• Evitar zonas de hierba alta.
• Llevar gafas de sol en el exterior para minimizar la cantidad de granos de polen que lleguen a los ojos.
• Conducir con las ventanillas cerradas. Si es posible, elegir un coche con un sistema de ventilación de polen.
• Cerrar las ventanas por la tarde, cuando empiece a subir el nivel de polen.
• Cerrar las ventanas del dormitorio cuando el nivel de polen sea alto.
• Lavar el pelo y la ropa tras pasar un día en el jardín o el campo.
• Alejarse del césped mientras lo estén segando.

• Un paseo nocturno resultará muy romántico, pero es el momento en que el nivel de polen es más elevado.
• Acudir a la costa en verano ya que la brisa marina empuja el polen tierra adentro.
• Evitar las comidas en el campo o las acampadas durante la época de polen.

Dejar de fumar

Las sustancias químicas de los cigarrillos irritan los pulmones, ya de por sí inflamados en los asmáticos. En caso de ser asmático, fumar es seguramente de las cosas más peligrosas y lo mejor es dejarlo.

Muchos fumadores temen engordar si dejan de fumar. Algunos, en efecto, engordan, pero normalmente son sólo unos pocos kilos que pierden en meses. Fumar reduce el apetito, de modo que al dejarlo la comida sabe mejor y se come más. Además, muchos fumadores disfrutan de un cigarrillo después de comer, que sustituyen por un postre o una ración extra. En caso de hambre, se puede picar algo de fruta o verdura.

Hay que acudir a cualquier ayuda, hipnoterapia, acupuntura, parches o chicles de nicotina si pensamos que pueden ser de utilidad, aunque a veces no hacen más que ayudarnos a pasarlo peor. Las dos primeras semanas serán duras y hará falta el apoyo y la paciencia de los amigos y la familia, pero merecerá la pena.

Se pueden experimentar síntomas de dependencia, como irritabilidad e insomnio. Hay que enorgullecerse de la decisión de dejar de fumar y tomárselo con calma. No hay que caer en la tentación de un cigarrillo al día. Seguramente nos llevará a otro... y a otro más.

Descubrir más de	
El ejercicio	38
Alérgenos en el aire	42
Medicamentos y aditivos	46

Montar en bicicleta es una sana actividad, pero si hay tráfico denso, es preciso llevar una mascarilla para proteger los pulmones.

El estrés

Hace poco que los médicos han empezado a prestar atención al estrés y reconocer los efectos que tiene sobre nuestra salud. Algunas personas reaccionan al estrés con dolor de cabeza, mientras que otras sufren problemas de digestión o colon irritable.

Las investigaciones demuestran que el estrés, tanto el grave, debido a un luto o a la ruptura de una relación, como el de menor importancia, produce un efecto bioquímico y hormonal sobre el organismo. El estrés puede reducir seriamente nuestra capacidad para hacer frente a las demandas de la vida. Por otra parte, las hormonas liberadas ante el estrés nos dan el empuje e incentivo para alcanzar metas y colmar ambiciones. A veces, es este estrés lo que hace que el trabajo resulte atractivo: la mayoría de los periodistas y empleados de bolsa son más productivos cuando trabajan bajo presión.

Pero el estrés también puede desencadenar un ataque de asma y empeorar muchas alergias, sobre todo los eccemas. No es su causa pero sí lo provoca. Muchos padres de niños asmáticos deben resignarse al ataque del cumpleaños, provocado por la mezcla de ejercicio y emoción.

Factores físicos, como el polvo o el ácaro del polvo, pueden provocar un ataque. El asma y las alergias no están en nuestra mente, pero la mente influye mucho en ellas. Eso explica el éxito que tienen en el tratamiento del asma las terapias alternativas que buscan restablecer un equilibrio entre cuerpo y mente.

La excitación de una fiesta infantil es un típico desencadenante de un ataque de asma.

Reforzar el sistema inmunitario

El mecanismo por el que el estrés afecta al organismo y daña la salud es complejo. El cuerpo y la mente se comunican a través de vías cuyo estudio ha adquirido carácter propio: la psiconeuroinmunología. La respuesta inmunitaria es controlada por el cerebro a través del sistema nervioso autónomo —que regula actividades como el latido del corazón, la sudoración, el rubor y la erección pilosa— y el eje neuroendocrino que controla las hormonas.

Mientras que las células inmunológicas envían mensajes al cerebro cuando algo invade el organismo, la respuesta proviene del sistema nervioso central que contrae las vías respiratorias o provoca una erupción en la piel, o un choque anafiláctico. También aumenta el número de glóbulos blancos que se producen en momentos críticos. Cuando estamos sometidos temporalmente a estrés, el cerebro libera hormonas que reforzarán la capacidad del sistema inmunitario para combatir a los invasores. Durante un estrés crónico o prolongado, el cuerpo es incapaz de mantener estos elevados niveles hormonales y el número de células combatientes decrece, lo que provoca lesiones y favorece la infección. Las hormonas del estrés, cortisol y adrenalina inundan el torrente sanguíneo y elevan el ritmo cardíaco y la tensión. También puede que aumente el ritmo respiratorio y que sudemos más, o se altere la digestión. El estrés a largo plazo conduce a hipertensión, ansiedad, irritabilidad, dolores, falta de aire, palpitaciones y, a veces, depresión. Los niveles elevados de cortisol pueden debilitar el sistema inmunitario y podemos sufrir erupciones, intolerancia alimentaria y eccemas.

El poder de la mente

Los científicos empiezan a comprender el poder de la mente sobre el cuerpo. Una persona que sufra un ataque de asma por estrés o una causa emotiva, empezará a sufrir sibilancias simplemente con que se sugiera que ha inhalado un alérgeno. Los estudios demuestran que cuando se informa a un asmático de que el inhalador contiene una sustancia a la que es alérgico, sufrirá un ataque de asma aunque el inhalador sólo contenga una solución salina. Si se le dice que va a inhalar una medicación que le hará sentir mejor, su respiración mejorará aunque se trate de la misma solución salina.

Ejercicio

Se nos dice constantemente que el ejercicio regular mejorará nuestra salud, pero para los asmáticos el ejercicio puede provocar problemas respiratorios. Es lo que se conoce con el nombre de asma inducido por el ejercicio.

Los estudios demuestran que 8 de cada 10 niños asmáticos que corran cinco minutos reducen en un 15 por ciento el pico del flujo espiratorio, es decir, la velocidad máxima a la que espiran. Los niños que no sufren asma pueden sofocarse un poco después de correr, pero el pico del flujo espiratorio no varía.

Los niños asmáticos pueden empezar a toser con sibilancias pocos minutos después de iniciar el ejercicio, mientras que los adolescentes y adultos pueden empezar a toser después de haber terminado. Es curioso que muchos atletas sufran asma inducido por el ejercicio.

Para los padres de niños asmáticos, surge un dilema. ¿Hay que permitir que el niño corra por ahí con los demás niños, o mantenerlo encerrado en casa? Una vida de confinamiento puede ser perniciosa, tanto física como psicológicamente, pero es la decisión adoptada por muchos padres, y ese niño pálido y delgado de hombros caídos por tantas horas pasadas frente al televisor o el ordenador es una señal de nuestra época.

El ejercicio puede provocar tos y sibilancias, pero no suele producir un ataque agudo de asma, como el provocado por el polen o el ácaro del polvo. De modo que es importante que el niño haga ejercicio, aunque sea suave. El ejercicio fortalece los músculos y el corazón, mejora la circulación, baja la tensión y mejora la agilidad.

Descubrir más de

El sistema inmunitario	*26*
Reacción alérgica grave	*30*
La relajación	*102*

El deporte de competición combina la tensión extrema y el ejercicio vigoroso, y puede provocar problemas respiratorios.

Soluciones al estrés

L as mejor manera de manejar el estrés es relajándose. La publicidad, los programas de televisión y radio, y nuestros amigos y familiares nos animan a tomarnos la vida con calma. Pero, para muchos, puede resultar tan difícil como dejar de fumar.

A muchos nos han educado para pensar que no somos nadie si no estamos haciendo algo. Si no hacemos nada somos ociosos, y la ociosidad equivale a vagancia y falta de productividad.

Relajarse y desconectar, ya sea con la lectura de un libro o con algo más activo como jugar al golf, puede resultar difícil. Aunque estemos tumbados en el sofá ante el televisor, puede que estemos en tensión, sobre todo si el programa es emocionante.

La verdadera relajación consiste en dedicar tiempo a no hacer nada más que relajarse. Si lo conseguimos, se producirán cambios en el organismo que mejorarán el asma: la tensión y los niveles de adrenalina disminuyen, la respiración se vuelve lenta y profunda, las ondas cerebrales cambian y nos sentimos tranquilos y centrados.

Hay que procurar reservar algo de tiempo cada día para la relajación. Algunos días será más fácil que otros, pero no hay que rendirse. Existen muchos medios de autoayuda —meditar, practicar t'ai chi o yoga, el entrenamiento autógeno o la autohipnosis— o simplemente aprender unas sencillas técnicas respiratorias. Cuando la relajación entra a formar parte de nuestra vida, controlaremos mejor el asma, las alergias, y el eccema puede reducirse.

Muchas personas deben aprender a relajarse. No hay que sentirse culpable por tomarse tiempo libre; puede ayudarnos a controlar el asma.

Y no olvidemos que no hay que ocultar los sentimientos. Hablar a los demás, ya sea un colega, amigo, pareja o consejero, sobre nuestros motivos de ansiedad puede aliviarnos enormemente. Un estudio sugiere que 6 de cada 10 personas con ataques de asma agudos se mostraban negativos. Una actitud emocional positiva puede hacer mucho por combatir el estrés.

Precauciones con el ejercicio

• No practique la carrera a campo traviesa en un día frío y seco, o cuando el nivel de polen sea alto.

• Haga siempre un calentamiento antes de empezar a hacer ejercicio.

• Medíquese antes del ejercicio —debería bastar con dos tomas del inhalador—. Es mejor medicarse que dejar de hacer ejercicio.

Descubrir más de .

Técnicas respiratorias	*86*
La meditación	*100*
La relajación	*192*

¿EXISTE LA PERSONALIDAD ASMÁTICA?

Existen pruebas de que determinadas características pueden señalarnos como personas de riesgo para desarrollar asma. Varios estudios sugieren que los asmáticos son irritables, coléricos, obsesivos e inclinados a sufrir depresión. Se lo guardan todo y ocultan sus sentimientos cuando están tensos. Algunos médicos opinan que la tensión se refleja en los pulmones y las vías respiratorias y, en algunos casos, la liberación de los temores y las emociones reprimidas alivian el asma. Otros médicos sugieren que los asmáticos son demasiado dependientes de sus madres.

Es difícil decidir qué fue lo primero, el asma o la personalidad. Sufrir un problema que dificulta la respiración y provoca sibilancias, resulta deprimente, y si nos vemos obligados a limpiar la casa de arriba abajo para eliminar los ácaros o el moho, es normal volverse obsesivo.

Sin embargo, hay pruebas de que las personas ansiosas y deprimidas tienen más probabilidades de sufrir sibilancias, despertarse sin aire o con una sensación de opresión en el pecho y tener ataques

de falta de aire cuando descansan o después del ejercicio.

Algunos niños se provocan deliberadamente un ataque mediante hiperventilación para ganarse simpatías, manipular a sus padres o faltar al colegio. No hay duda de que bastantes personas piensan que su eccema o alergia pueda despertar simpatías y atención. Se conoce como logro secundario.

Pruebas de asma y alergias

Algunos síntomas de asma coinciden en otras afecciones, como la enfermedad coronaria, la bronquitis o el enfisema. Las pruebas respiratorias detectan el asma y descartan otras enfermedades. Los dos mecanismos principales para evaluar la función pulmonar son el medidor de flujo máximo y el espirómetro.

Medidor de flujo máximo

El asmático sufre un estrechamiento de las vías respiratorias de manera que el aire no fluye libremente. Es imposible medir el diámetro de las vías, pero puede estimarse a través de la velocidad a la que el aire es expulsado de los pulmones.

El medidor de flujo máximo, o de flujo espiratorio máximo, es un pequeño instrumento que mide la velocidad máxima de espiración. Hay que llenar los pulmones tanto como sea posible, aguantar la respiración un par de segundos y expulsar el aire lo más rápido posible. Al espirar, la velocidad del aire alcanza rápidamente su pico y luego decae. El instrumento registra la mayor velocidad.

Estos aparatos no son caros y el médico de familia dispondrá de uno. También pueden adquirirse para medir el flujo máximo en casa dos o tres veces al día. El medidor de flujo máximo es muy valioso para alertarnos sobre el deterioro de nuestro estado. Utilizado con regularidad, puede salvarnos la vida.

El volumen de aire espirado por un pulmón sano está entre 400 y 600 l por minuto. En caso de asma, lo habitual es de 200 a 400 l y en caso de un ataque agudo, por debajo de 100 l.

El espirómetro

Se trata de un aparato más sofisticado que se encuentra en los hospitales. Mide la cantidad de aire espirado por segundo, o volumen espiratorio forzado por segundo, y la capacidad vital forzada, es decir, el volumen total de aire espirado en una respiración.

Unos pulmones sanos tardarán aproximadamente cuatro segundos en vaciarse, y la mayor parte del aire, alrededor del 70 por ciento, será expulsado durante el primer segundo. El asmático sólo expulsa la mitad, o menos, del aire en el primer segundo.

El espirómetro proporciona una información más detallada, pero no ofrece las lecturas diarias del medidor de flujo máximo.

Test de reversibilidad bronquial

El test de reversibilidad bronquial mide la respiración antes y después de inspirar un broncodilatador. Si el flujo máximo mejora en un 15 por ciento o más, tras inspirar el broncodilatador, puede que sufra asma.

El aparato "Vegatest" mide el campo electromagnético producido ante la exposición a una determinada sustancia. Algunos alergólogos lo encuentran de utilidad para identificar la causa de una reacción alérgica.

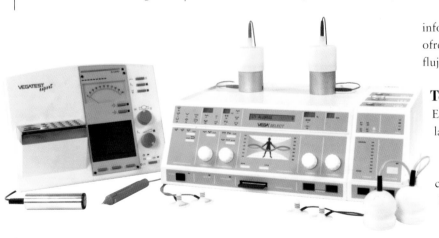

PRUEBAS DE ALERGIA

Descubrir más de

El sistema respiratorio	18
La piel	20
El sistema inmunitario	26

● *Prueba cutánea*

Es la más habitual. Se puede realizar para hasta 25 alérgenos al mismo tiempo.

Se inoculan pequeñas cantidades del alérgeno en la piel de la espalda o el antebrazo con una diminuta aguja de 1 mm de largo. No se inyecta nada y no duele. En caso de padecer alergia a alguno de los alérgenos, se formará un habón que puede picar y ponerse rojo en el borde exterior. El médico medirá el habón después de unos 15 minutos. Una extensión superior a 3 mm se considerará como un resultado positivo.

Esta prueba es un buen indicativo de las sustancias a las que puede ser alérgico, pero no es infalible. Algunos alérgenos, como el polen, el polvo y los hongos, se comportan mejor que los alimentos, que resultan poco fiables.

Otras pruebas parecidas incluyen la infección intradérmica, que no es muy habitual; y la prueba del parche en la que la sustancia sospechosa es depositada sobre un pequeño parche que se pega a la piel durante 48 a 72 horas.

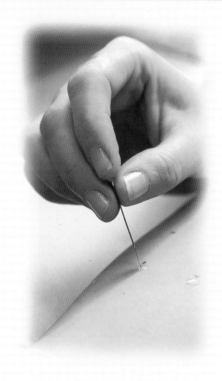

● *Prueba de radioalergosorbencia*

Se trata de un análisis de sangre que mide la cantidad de IgE que el sistema inmunitario ha producido ante una determinada sustancia, como el polen, el ácaro o alguna proteína alimentaria. Se extrae una pequeña cantidad de sangre de una vena y se analiza en el laboratorio. Una gota del suero sanguíneo será aplicada a una muestra de alérgeno. La prueba emplea una técnica en la que un marcador radiactivo se une a las células IgE y lo que se mide es la radiactividad total al final de la prueba.

Al medir la cantidad de IgE en sangre extraída tras entrar en contacto con el alérgeno, y compararla con la cantidad de IgE presente en la sangre del paciente, se puede saber en qué medida es alérgico a esa sustancia.

Esta prueba se realiza a menudo con la prueba cutánea o en caso de que ésta última no esté indicada. Por ejemplo, en caso de un eccema importante o de una reacción alérgica grave que sea susceptible de derivar en un choque anafiláctico.

3

TERAPIAS

CONVENCIONALES

Los tratamientos actuales contra el asma son eficaces y fácilmente autoadministrables. Puede que le preocupen los efectos secundarios, por ejemplo, que los broncodilatadores provoquen náuseas, hiperactividad e hiperventilación, y que los esteroides resulten dañinos a largo plazo. Todos hemos oído decir que estos medicamentos pueden empeorar los síntomas del asma y las alergias, pero el asma es un problema serio y a veces se necesitan medicamentos fuertes para controlarla.

No existe ningún medicamento capaz de curar el asma o hacer desaparecer las alergias. Lo que hacen los medicamentos es aliviar los síntomas para poder llevar una vida lo más normal posible.

Medicamentos contra el asma

Si padece asma, su medicación será de tres tipos —preventiva, aliviadora y de rescate de emergencia— y se administrará de diversas maneras.

Un espaciador es un contenedor de plástico lleno de la medicación nebulizada. Una boquilla en un extremo permite inspirar con normalidad y eso significa que son más sencillos de utilizar que un inhalador normal.

Los aliviadores relajan la musculatura de las vías respiratorias para que éstas se abran y entre más aire en los pulmones. Estos medicamentos se se denominan broncodilatadores e incluyen beta-antagonistas como el ventolín, que estimula la actividad simpática, o anticolinérgicos como el atrovent, reductor de la actividad simpática. Lo habitual es inhalarlos. Proporcionan alivio inmediato ante un ataque, de modo que siempre hay que llevar consigo un inhalador. Los preventivos son esteroides que tratan la inflamación subyacente.

Tratamientos contra las alergias

Existen muchas clases de alergias, y multitud de terapias convencionales para hacerles frente. Los tratamientos contra la fiebre del heno y otras alergias se describen con más detalles en las páginas 68-73.

Además de los medicamentos y la dieta, existen muchas técnicas consistentes en ingerir regularmente dosis de la sustancia que nos provoca la alergia para conseguir, tras varios años, desarrollar una tolerancia a esa sustancia.

La hiposensibilización, o desensibilización progresiva, consiste en inyectar cantidades crecientes del alérgeno bajo la piel hasta que se reduzca la sensibilidad. Es un tratamiento reservado a personas con una alergia específica, como el veneno de las abejas. Debe controlarse con cuidado por el riesgo de anafilaxis. Algunos niños han fallecido de resultas de este tratamiento.

Las técnicas de desensibilización o neutralización están más extendidas,

siendo la más conocida la técnica Miller. Implica la administración repetida de una dosis que no provoca reacción. Los especialistas de esta técnica aseguran que no hay riesgos ya que las cantidades empleadas son pequeñas, pero implica inyectarse a uno mismo a diario, o casi.

La desensibilización enzimática también ha demostrado su eficacia en el tratamiento del asma, la fiebre del heno y la hiperactividad. Los pacientes son inyectados cuatro veces al día con una mezcla de alérgenos en dosis tan pequeñas que ni siquiera pueden cuantificarse.

Preventivos

Los medicamentos antiinflamatorios, o esteroides, que impiden la inflamación de las vías respiratorias. Pueden administrarse en forma de inhalador, pastillas o, en casos graves, inyectarse. Los más habituales son los esteroides inhalados.

Los corticosteroides sólo funcionan si se administran regularmente. Se desarrollan a partir de la hormona humana cortisol, producida por la glándula adrenal.

Los esteroides empleados contra el asma son muy eficaces contra las inflamaciones de las vías respiratorias y la acumulación de mucosidad en los pulmones, puesto que atemperan la reacción alérgica.

A pesar de ser un medicamento fuerte, los esteroides son seguros porque se inhalan cantidades minúsculas y, en las dosis prescritas, se dirigen directamente a donde más falta hacen: los pulmones.

Para que los preventivos resulten eficaces, deben administrarse con regularidad. Para el asmático o alérgico pueden parecer maravillosos, pero hay que tener cuidado porque si se administra una dosis superior a la prescrita, o incluso si se administra la prescrita durante mucho tiempo, pueden producirse efectos secundarios.

Los esteroides pueden inhalarse, tomarse en forma de pastillas para aliviar un ataque o controlar el asma grave, o inyectarse en caso de ataque agudo. Las inyecciones deben ser siempre administradas por un médico o una enfermera.

Los esteroides inhalados se administran con un inhalador, un espaciador, un inhalador de polvo seco o, en ocasiones, un nebulizador. Los medicamentos más utilizados son budesonide, beclometasona y fluticasona.

A diferencia de los broncodilatadores, utilizados como agentes aliviadores, los esteroides inhalados deben utilizarse a diario, aunque nos sintamos bien, ya que con el tiempo reducen la inflamación. Si deja de tomar el medicamento preventivo cuando se siente bien, los síntomas volverán gradualmente. Es importante reducir la dosis cuando el asma mejore. La dosis de mantenimiento debería ser la mínima necesaria para mantener los síntomas a raya.

Las dosis regulares producen unos cuantos efectos secundarios, como ronquera o infección por cándidas, un hongo, en la boca que pueden irritar la garganta.

El esteroide en pastilla más utilizado es prednisolona. Se prescribe cuando los inhaladores no funcionan. El médico aconsejará un tratamiento corto, de una semana o dos, ante un ataque agudo, o uno que dure varios meses y nos proporcione un control sobre el asma crónico grave.

Descubrir más de

Tratar la fiebre del heno	68
Tratamientos para la piel	70
Efectos secundarios	74

¿UTILIZA ADECUADAMENTE EL INHALADOR?

Los inhaladores parecen sencillos de utilizar, pero son bastante complicados de utilizar bien. Si no se utilizan bien, el medicamento no llegará a los pulmones. Si no se sincroniza la inspiración con el momento de presionar el inhalador, la medicación acabará en la boca y la garganta y no en las vías aéreas.

En un estudio con 100 personas entrenadas para utilizar el inhalador, sólo unas cuantas lo hacían correctamente después de un tiempo. Los fallos más habituales son:

- *No agitar el inhalador antes de usarlo.*
- *No contener la respiración o espirar despacio.*
- *No esperar de uno a tres minutos antes de una nueva inhalación.*
- *No coordinar el momento de inspirar y de apretar el inhalador.*
- *No saber cuándo está vacío el inhalador. Para saberlo, se puede introducir en un recipiente con agua. Si está lleno se hundirá y si está vacío, flotará.*

Medicamentos contra el asma

Es conveniente llevar siempre un inhalador de polvo seco, de fácil utilización y que proporciona un rápido alivio de los síntomas del asma.

Aliviadores

Los broncodilatadores alivian al instante porque actúan sobre los músculos de las vías aéreas, relajándolos y expandiéndolos. Suelen inhalarse, pero pueden ingerirse en forma de pastilla o jarabe.

Los medicamentos de corto alcance actúan muy rápidamente y sus efectos duran de tres a seis horas. Se inhalan y deben administrarse adecuadamente. Los medicamentos de largo alcance alivian los síntomas por espacio de 12 horas y a menudo se administran por la noche. Pueden inhalarse o ingerirse y no se recomiendan para los niños. Son buenos para casos de asma moderada o grave y para personas con asma inducido por el ejercicio.

Agonistas beta 2

Los broncodilatadores más populares pertenecen al grupo de agonistas de beta-2-adrenorreceptores, normalmente llamados agonistas beta 2, de los cuales el salbutamol y terbutalina son los más conocidos. Los adrenorreceptores son los lugares donde actúa la hormona adrenalina. La adrenalina acelera la respiración, relajando las vías respiratorias para que se inspire más oxígeno. El agonista es un medicamento que actúa sobre las células receptoras y "finge" ser la adrenalina. Al utilizar el inhalador, los pulmones piensan que se ha liberado adrenalina en el organismo y las vías respiratorias se relajarán.

El aliviador debe utilizarse únicamente en caso necesario: cuando tenga sibilancias, dificultades al respirar o tos. Los efectos duran unas cuatro horas. En caso de que el alivio no dure tanto tiempo, significa que el asma no está controlada adecuadamente. Existen actualmente agonistas beta 2 de largo alcance, que pueden ser utilizados para asmáticos nocturnos.

Agentes anticolinérgicos

Mantienen abiertas las vías respiratorias al reducir su tendencia a cerrarse por la acción de la acetilcolina, de efectos opuestos a la adrenalina, que tiende a constreñirlas. Al reducir la acción de la

MÉTODOS DE ADMINISTRACIÓN

- *Un simple inhalador. Los broncodilatadores son de color azul claro, mientras que los aliviadores son marrones o naranjas.*
- *Un espaciador de gran volumen, activado por la respiración, para los que tengan dificultad con el inhalador. Debe lavarse una vez por semana para eliminar los restos del medicamento.*
- *Otros dispositivos activados por la respiración, como el Turbohaler, Diskhaler y Autohaler.*

- *Inhaladores de polvo seco (Spinhaler, Rotahaler).*
- *Un nebulizador que produce una nube de medicamento y que se inhala a través de una mascarilla o boquilla. Administra una dosis mucho mayor que un inhalador y se utiliza ante un ataque grave de asma. La mayoría de los médicos de familia, las ambulancias y los hospitales deberían disponer de uno y, si en casa hay alguien que sufra ataques asmáticos severos, debería comprar uno.*

MEDICAMENTOS CONTRA EL ASMA

PREVENTIVOS	**Esteroides inhalados:** Beclometasona, budesonida, fluticasona*, triancinolone*, dextametasona*. **Esteroides orales:** prednisolona**, dextametasona**, propionato de fluticasona**, hidrocortisona**, cortisona, prednisona, triaminolona*, flunisolide*. **Broncodilatadores orales (no inhaladores):** Zafirlukast,*** montelukast***.
ESTABILIZADORES DE MASTOCITOS	Cromoglicato sódico, nedocromil sódico**.
ALIVIADORES * Sudáfrica pero no Australia ni Nueva Zelanda ** Australia y Nueva Zelanda pero no Sudáfrica *** Sudáfrica y Australia	**Agonistas beta 2** *de corto alcance:* salbutamol, terbutalina, fenoterol, orciprenaline. *De largo alcance:* salmeterol, eformoterol**. **Xantinas:** aminofilina, teofilinato colina, teofilina. **Anticolinérgicos:** bromuro de ipratropio.

Descubrir más de

El sistema respiratorio	*18*
Tratar la fiebre del heno	*68*
Efectos secundarios	*74*

El café ayuda a aliviar el asma debido a que la cafeína pertenece a un grupo de sustancias relajantes musculares, las xantinas.

acetilcolina, estos medicamentos relajan las vías respiratorias durante 8 a 12 horas. Son especialmente útiles en casos de asma crónica cuando los antiinflamatorios y los agonistas beta no funcionan.

Estabilizadores de los mastocitos

Estos broncodilatadores equilibran los mastocitos del recubrimiento interno del pulmón, evitando que liberen histamina y leucotrienes. Así se consigue que la reacción alérgica sea más floja. Se utilizan como alternativa a los agonistas beta 2 y son especialmente buenos en caso de asma inducido por el ejercicio. Los niños suelen responder mejor a estos medicamentos que los adultos.

Xantinas

El médico podría prescribirle un medicamento que contenga teofilina. La teofilina pertenece a un grupo de

sustancias llamadas xantinas, presentes en muchas plantas, sobre todo en el café y el té. Puede que ya haya notado que una taza de café fuerte previene los pequeños ataques de asma.

Los medicamentos a base de teofilina se toman en pastillas y relajan los músculos alrededor de los bronquios, de modo que desbloquean las vías respiratorias. En casos graves, se puede administrar aminofilina, otra xantina, en infusión.

Los nuevos inhaladores

Durante los próximos años, los inhaladores serán sustituidos por nuevos dispositivos que no contienen clorofluorocarbonos (CFC). Los CFC no dañan al organismo, pero sí a la capa de ozono. Si le recetan un nuevo modelo, asegúrese de aprender a utilizarlo bien.

Tratar la fiebre del heno

Muchas personas son reacias a tomar medicinas, sobre todo para algo que parece tan insignificante como la fiebre del heno. Pero, aparte de privarnos del placer de un cálido día de verano, la fiebre del heno puede debilitarnos e impedirnos realizar cualquier otra actividad que no sea estornudar o toser.

El polen de hierba es el desencadenante más habitual de la fiebre del heno. Durante la temporada de polinización hay que evitarlo en la medida de lo posible.

Los medicamentos contra la fiebre del heno pueden ser: antialérgicos, antihistamínicos o corticosteroides. La fiebre del heno también puede tratarse con técnicas de desensibilización.

Antihistamínicos

Es el medicamento más popular contra la fiebre del heno. Se administran en forma de pastillas, cápsulas o en líquido, y también en colirios para los ojos. Actualmente existe un pulverizador nasal, y otros están en camino.

Actúan bloqueando la histamina. La histamina provoca el enrojecimiento y picor de ojos, y una producción masiva de mucosidad. También provoca sibilancias al estrechar las vías respiratorias. Los antihistamínicos son eficaces para reducir, en una hora o dos, la mayoría de los síntomas de la fiebre del heno, pero no despejan la nariz.

Los antiguos antihistamínicos provocaban somnolencia porque la histamina interfiere a veces en otras sustancias químicas del organismo, incluyendo la adrenalina. Al bloquearse la adrenalina, se produce sensación de cansancio. Los nuevos antihistamínicos han sido modificados para causar poca, o ninguna, somnolencia.

Medicamentos antialérgicos

Se conocen como estabilizadores de los mastocitos ya que amortiguan su actividad. Este medicamento puede controlar los problemas oculares y nasales

de la fiebre del heno, además de ser eficaces contra el asma. Se suele administrar en forma de colirio o aerosol nasal. Las molestias oculares pueden mejorar con unas gotas de cromoglicato sódico. Un nuevo medicamento, lodoxamida, actúa de la misma manera.

Esteroides

Poseen actividad antiinflamatoria, al igual que los medicamentos contra el asma. En forma de spray nasal, reducen la inflamación de la nariz y evitan el moqueo, la congestión y los estornudos. También pueden prevenir el picor y enrojecimiento ocular.

Para quienes sufran un caso grave de fiebre del heno, los médicos recomiendan empezar a tomar esteroides el día antes de que comience la temporada de polinización y seguir así hasta que termine. Los corticosteroides están disponibles en pastillas y en inyección.

Descongestionantes

La mayoría de los descongestionantes pertenecen al grupo de los medicamentos simpaticomiméticos. Provocan la contracción de los vasos sanguíneos de la nariz y así reducen la congestión y facilitan la respiración. Suelen administrarse en forma de aerosol nasal, con lo que sólo una pequeña cantidad llega al torrente sanguíneo. Sin embargo, si se consumen en exceso, pueden producirse efectos secundarios, como temblores y un aumento del ritmo cardíaco.

Técnicas de desensibilización

El objetivo de la inmunoterapia consiste en desensibilizar al organismo para las sustancias que provocan alergia. La técnica se inició a comienzos del siglo XX y funciona básicamente como una vacuna. Se administra una cantidad traza del alérgeno y, con el tiempo, el organismo se volverá resistente a él, para dejar de ser alérgico.

Hay tres técnicas de desensibilización: la desensibilización progresiva, la neutralización y la desensibilización enzimática.

Desensibilización progresiva

También conocida con el nombre de hiposensibilización, provoca el aumento gradual de la tolerancia a un determinado alérgeno al utilizar cantidades cada vez mayores hasta que se alcance un nivel que protege sin provocar síntomas de alergia.

La técnica se emplea para la fiebre del heno y otras alergias estacionales, y contra la anafilaxis provocada por la picadura de insectos. También puede utilizarse para alergias a animales. Los extractos del veneno de un insecto proporcionan un 98 por ciento de protección frente a las picaduras de avispas y un 80 por ciento frente a las de las de abejas. Sin embargo, la desensibilización progresiva no es adecuada para las alergias de la piel, ni para la rinitis alérgica, y su tasa de éxito es baja frente a las alergias e intolerancias alimentarias. Es esencial que la técnica esté controlada por un médico.

Neutralización

Se administran dosis bajas de un alérgeno a diario, o en días alternos, mediante una inyección bajo la piel, o unas gotas bajo la lengua. Es muy popular en Estados Unidos y en Australia, pero, salvo en un par de clínicas del Reino Unido, la técnica no se emplea en otros lugares. La técnica Miller, por el doctor Joe Miller de Estados Unidos, es idéntica a la neutralización.

Desensibilización enzimática

Es una técnica que añade una enzima, beta-glucuronidasa, a una solución diluida del alérgeno que provoca la alergia. La solución varía en función de la gravedad de la alergia. Existen dos formas básicas de tratamiento: se puede inyectar en la piel del antebrazo o administrarse por el método de la copa.

En el método de la copa, se raspa una pequeña zona de piel para eliminar la capa impermeable y se deja la solución en contacto con la herida durante 24 horas mediante una copa de plástico sellada a la piel. El tratamiento continúa hasta que cese la alergia a ese alérgeno.

La beta-glucuronidasa se encuentra en todas las células del organismo, y los especialistas en la desensibilización enzimática aseguran que la solución diluida es aceptada como propia y genera nuevas células que no reaccionan al alérgeno. Tras meses de desensibilización, el sistema inmunitario al fin se vuelve tolerante al alérgeno.

A diferencia de las técnicas de neutralización, la desensibilización enzimática se administra cada pocos meses. Las dosis iniciales se suelen aplicar cada dos o tres meses durante uno o dos años. Después, puede continuar una vez cada cuatro meses y, tras la octava inyección, puede que haga falta repetir una o dos veces al año.

Descubrir más de

El sistema inmunológico	26
Las pruebas de alergias	60
Efectos secundarios	74

Un campo de flores silvestres puede ser fuente de numerosos alérgenos. No es mala idea llevarse la medicación contra la fiebre del heno si se va a pasear por el campo.

Tratar las alergias de la piel

No existe ninguna cura convencional para las alergias de la piel. Sin embargo, pueden controlarse y, con el tiempo, llegar a desaparecer por sí mismas. A menudo se consigue simplemente evitando aquello que irrita la piel, ya sea un detergente, un jabón perfumado, la lana o el látex.

Se pueden elegir muchos productos para aliviar las alergias de la piel. Incluyen champú, y cremas corporales para hidratar y calmar, y pastillas para reducir la irritación.

Los tratamientos mejoran la piel seca para que pique menos y esté menos inflamada, de modo que se pueden mejorar las condiciones de vida frente a un eccema. El médico nos aconsejará sobre cómo evitar las alergias, pero también puede recetar una crema con esteroides, preparaciones a base de alquitrán, antihistamínicos y antibióticos. Si el tratamiento no funciona, no hay que seguir utilizándolo, sino volver al médico para que lo cambie por otro o probar alguna terapia alternativa.

Esteroides tópicos

"Tópico" significa que el esteroide se aplica a través de la piel y no ingerido. Es la forma de tratamiento más común para el eccema y puede ser de distinta fuerza, desde suave a fuerte, en función de la gravedad del eccema y de la parte del cuerpo afectada. Una crema suave de hidrocortisona puede adquirirse en la farmacia sin receta, pero si el problema continúa,

hay que consultar al médico. Los esteroides tópicos alivian los síntomas, reducen el picor, el enrojecimiento y la inflamación y permiten la curación de la piel.

Emolientes

Existen multitud de emolientes para calmar la piel. Son una mezcla de aceites, grasa y agua en forma de cremas, lociones, ungüentos y aceites de baño que restauran los lípidos y la humedad de la piel.

La mayoría de las personas que sufren eccemas tienen la piel seca, por lo que un aceite de baño hidratante las aliviará. El agua del baño debería estar templada, y la crema debe aplicarse inmediatamente después.

Otras cremas para la piel

La más utilizada es la brea de carbón, en forma de crema, ungüento, pasta o solución. Puede ser suficiente para mantener a raya el eccema. La brea está presente en multitud de cremas para el eccema, pero huele mal y ensucia la ropa.

Otras cremas incluyen el ácido salicílico para pieles gruesas y con descamación; las cremas de zinc y calamina y los baños de permanganato potásico.

Antibióticos

El eccema no es infeccioso, pero como la piel se agrieta, inflama y, a veces, sangra, hay un riesgo de infección por parte de los gérmenes de la piel. Estas infecciones suelen ser leves y se mantienen controladas con antibióticos.

Si el eccema es grave, el médico puede recetar esteroides, que pueden administrarse por vía oral o inyectados. El esteroide más utilizado es prednisolona, el mismo que se utiliza contra el asma. En ocasiones se receta ante un período crítico de la vida, como un examen.

Si el eccema es atópico, puede haber ronchas en el cuero cabelludo, en el nacimiento del pelo y en la base del cuello. En ese caso, los champús medicinales pueden ayudar. Muchos de ellos contienen carbón de brea o algún antiséptico. Hay que utilizarlos un mínimo de tres meses.

Aceite de prímula

El ácido gammalinoleico, o aceite de prímula, puede calmar la irritación de la piel. Es un aceite extraído de la prímula que suaviza la piel y calma el picor. Es adecuado tanto para adultos como para niños de más de un año, pero es mejor pedirle consejo al médico antes de utilizarlo, sobre todo en caso de epilepsia. Si no hay mejoría después de tres meses, no tiene sentido seguir utilizándolo.

Terapia lumínica

Cuando el eccema es grave, o no responde a los esteroides tópicos, el médico aconsejará la terapia lumínica, o tratamiento PUVA (psoraleno con luz ultravioleta A). El psoraleno se ingiere en forma de pastilla y dos horas después se aplica una luz especial. Este tratamiento se utiliza para el eccema y la psoriasis.

Ciclosporina

La potente ciclosporina bloquea el sistema inmunitario y suprime la reacción alérgica. Se utiliza con pacientes trasplantados para prevenir rechazos al nuevo órgano. Sin embargo, aunque salva vidas, tiene unos peligrosos efectos secundarios. Por ese motivo se utiliza únicamente en adultos con la forma más severa de eccema atópico, y siempre bajo la supervisión de un dermatólogo.

Descubrir más de

La piel	20
El sistema inmunitario	26

El tratamiento con luz ultravioleta y medicación contra la irritación puede resultar eficaz contra el eccema.

Alergias e intolerancias alimentarias

Las alergias alimentarias que presentan una reacción desproporcionada contra una sustancia inofensiva son raras. Pero pueden existir intolerancias a una serie de alimentos.

Los productos aparentemente inofensivos pueden contener ingredientes que nos causen alergia. Hay que leer cuidadosamente las etiquetas.

Se cree que sólo el 1 por ciento de los adultos y el 5 por ciento de los niños presentan alguna alergia alimentaria. Sin embargo, las intolerancias son frecuentes y pueden producir el síndrome del colon irritable, eccema y otros problemas como migraña, asma y rinitis.

No existe medicación contra las alergias alimentarias. La única esperanza de cura es la neutralización o la desensibilización enzimática (*véase* pág. 69). La manera más eficaz de reducir los síntomas asociados a las intolerancias es evitar los alimentos conflictivos. Y la mejor manera de descubrir cuáles son esos alimentos es mediante una dieta de exclusión. Antes de probar la dieta de exclusión de la página siguiente, debería consultar al médico.

Para descubrir los alimentos que no sientan bien, pueden ser necesarios tres o cuatro meses de pruebas, con las desagradables reacciones negativas producidas al reintroducir alimentos prohibidos. Parece bastante sencillo, pero no es fácil renunciar a alimentos que se comen con gusto y que forman parte de la dieta diaria. No hay atajo posible. Aunque han surgido algunas pruebas que determinan rápidamente las intolerancias, no son fiables.

Con la máquina Vega, se sujeta un electrodo mientras que el otro permanece en contacto con un dedo a la vez que se introducen distintos alimentos en el circuito. Sin embargo, no existen pruebas de que detecte intolerancias alimentarias y puede resultar dañina al conducirnos a la desnutrición por seguir sus "consejos".

LA DIETA SIN GLUTEN

Si su intestino es especialmente sensible al gluten, puede que sufra la enfermedad celíaca, que puede terminar por dañar el revestimiento del colon. En caso de duda, el médico realizará un sencillo análisis de sangre para identificar los anticuerpos antiendomisio. Si se detectan en su organismo, puede ser celíaco.

El siguiente paso es la biopsia intestinal, en la que se arranca, mediante endoscopia, un minúsculo trozo de la pared interna del intestino para su estudio. Es un procedimiento rápido y sencillo en el que se introduce un tubo, hasta el intestino, por la boca del paciente, pero no es tan malo como suena.

Una vez diagnosticada, la enfermedad celíaca no

tiene cura. El mejor tratamiento es una dieta sin gluten de por vida. Deberá evitar el pan, los bollos, la pasta, los pasteles y cualquier alimento preparado a base de harina.

No sólo hay que evitar lo más obvio. Alimentos como el tomate frito o las pastillas de caldo pueden contener gluten, por lo que hay que estudiar cuidadosamente la etiqueta en busca de trigo, almidón, centeno, avena o cebada.

Los comercios empiezan a vender alimentos sin gluten y se encuentran sin problemas en herbolarios y proveedores especializados. Se puede hornear el pan en casa con harina sin gluten, o se puede comprar harina de arroz, patata o maíz.

DIETA DE EXCLUSIÓN

SEMANAS 1 Y 2

Hay que empezar la dieta poco a poco. Durante dos semanas se reducirá la ingesta de té y café, hasta eliminarlos por completo. Se eliminarán los fritos, grasas, alcohol y carne roja, y cualquier cosa que empeore nuestros síntomas. Deberá limitarse el consumo de mantequilla, queso y leche.

Con suerte, eso bastará para aliviar los síntomas. Si no, comience la dieta de dos semanas. Antes acuda al médico, y nunca lo intente si está embarazada, débil o tiene algún problema serio de salud. Escriba un diario de los alimentos que le sienten mal.

DÍA 1: Coma con normalidad.

DÍA 2: Haga ayuno y no beba más que agua. Es una buena manera de eliminar las toxinas del organismo. Si no lo aguanta, coma un plátano. Descanse y no conduzca ni realice ninguna actividad física fuerte.

DÍA 3: Comience la dieta de exclusión. Durante dos semanas coma únicamente los alimentos de la lista ALIMENTOS PERMITIDOS y ninguno de la lista ALIMENTOS PROHIBIDOS.

ALIMENTOS PROHIBIDOS	ALIMENTOS PERMITIDOS
CARNE vacuno, salchichas, productos cárnicos.	**CARNE** todas las demás carnes y aves.
PESCADO cualquier rebozado.	**PESCADO** blanco o azul en conserva.
VERDURAS patatas, cebollas, maíz, verduras en conserva con salsa.	**VERDURAS** cualquier otra verdura fresca o congelada, ensaladas, legumbres, batata.
FRUTA cítricos (naranja, limón, pomelo, lima).	**FRUTA** cualquier otra fruta fresca o en conserva.
CEREALES trigo, centeno, avena, cebada, maíz.	**CEREALES** arroz, arruruz, tapioca, sagú, trigo sarraceno, harina de soja, mijo, tortas de arroz.
PRODUCTOS LÁCTEOS leche de vaca, cabra, oveja, mantequilla, margarina, yogur, queso y huevos.	**"FALSOS" PRODUCTOS LÁCTEOS** leche de soja*, margarina sin leche, tofu, yogur de soja.
BEBIDAS té, café, alcohol, zumos de cítricos, agua del grifo.	**BEBIDAS** infusiones, otros zumos de fruta, zumo de grosella, agua mineral.
VARIOS levadura, salsas, aderezos para ensaladas, aceites mezclados, aceite de maíz, vinagre, frutos secos, chocolate.	**VARIOS** sal, especias, hierbas, miel, sirope, aceite de oliva, girasol, cártamo y soja, frutas deshidratadas, semillas, algarroba.

Esta dieta debe seguirse escrupulosamente durante dos semanas. Procure no fumar. Los alimentos deben ser reintroducidos en el siguiente orden y a razón de uno cada dos días:

Agua del grifo, patata, leche (330 ml), levadura, té, centeno, carne de vacuno, mantequilla, cebollas,

huevos, avena, café, chocolate (pruebe mejor sin leche), cítricos, maíz, queso de vaca, trigo (empiece por pasta, harina y pan blanco), frutos secos, cebada, vinagre.

*La "leche de soja" no es un lácteo sino un licuado vegetal sin leche, igual que el yogur y el tofu (N. de la T.).

Controlar el asma

Dominar el asma, e impedir que sea ella la que tenga el control, es importante. Aunque sea incómodo tener que medicarse y tener siempre presente qué actividades podrían provocar un ataque, el asma sin controlar puede ser peligrosa.

El mundo sería maravilloso si todo lo que nos provoca alergias desapareciera de golpe, pero por mucho que limpiemos la casa a fondo y prohibamos la entrada a los animales, seguiríamos rodeados de alérgenos. Una vez que se ha diagnosticado el asma, la responsabilidad pasa a ser del asmático. La mejor manera de asumir esa responsabilidad es estar pendiente de los síntomas y medir el flujo máximo de espiración. El médico ayudará en la elaboración de un plan de control del asma.

Si el asma está controlada, debería llevar una vida sana y normal. Tendría que dormir bien, realizar ejercicio con normalidad y recurrir a la medicación de vez en cuando. Si lo combina con terapias alternativas que se adecuen a su estilo de vida, podrá controlar las alergias.

Lecturas del fujo máximo

El medidor de flujo máximo es la mejor manera de valorar el estado de los pulmones. El flujo máximo desciende antes de notar los síntomas, por lo que la lectura sirve también como señal de alarma.

Si los pulmones están sanos y fuertes, espirarán entre 400 y 600 l de aire; en caso de asma, lo habitual son de 200 a 400; durante un ataque de asma, la cifra desciende aún más.

Las lecturas del flujo máximo varían de una persona a otra, de modo que no son comparables. Hay que averiguar el flujo ideal, cuando nos encontramos bien, y utilizar ese dato como referencia. El control del asma debe girar en torno a las lecturas del flujo máximo, de modo que si ésta desciende por debajo del 75 por ciento, puede que necesite utilizar más el broncodilatador.

Existen dos datos significativos —80 por ciento y 60 por ciento de la mejor lectura— y tres zonas: 80 a 100 por ciento, 60 a 80 por ciento, y por debajo del 60 por ciento.

• Si la cifra está habitualmente por encima del 80 por ciento, el asma está controlada.

• Si cae entre 80 y 60 por ciento, deberá aumentar la medicación.

• Si la lectura cae por debajo del 60 por ciento, deberá actuar rápidamente. Utilice el remedio de rescate (salbutamol o sulfato de terbutalina) y pastillas de prednisolona.

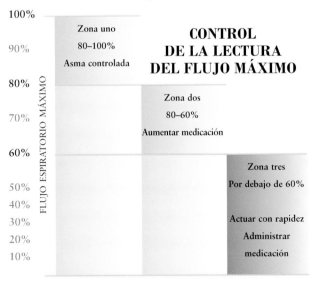

CONTROL DE LA LECTURA DEL FLUJO MÁXIMO

FLUJO ESPIRATORIO MÁXIMO

100%
90%
80%
70%
60%
50%
40%
30%
20%
10%

Zona uno
80–100%
Asma controlada

Zona dos
80–60%
Aumentar medicación

Zona tres
Por debajo de 60%

Actuar con rapidez
Administrar medicación

Si sigue un programa de control del asma, debería ser capaz de disfrutar plenamente de la vida. Reserve tiempo para descansar, respire aire puro y practique algún ejercicio suave.

Descubrir más de

Pruebas de asma   60
Medicamentos para asma   64

Cómo controlar la medicación

Muchos médicos han incorporado el plan de tratamiento secuencial, en el que cada paso indica el tratamiento necesario para controlar el asma. Si el tratamiento recomendado en un paso no consigue controlar el asma, se pasa al siguiente y así sucesivamente.

Paso 1

Si los síntomas son pocos, sólo hará falta utilizar el broncodilatador de corto alcance (salbutamol o terbutalina) una vez al día. Si lo necesita más de una vez al día, debe pasar al siguiente paso.

Paso 2

Además del broncodilatador, deberá administrarse un tratamiento preventivo —esteroides inhalados— para reducir la inflamación de los pulmones. Los preventivos más habituales son budesonida, beclometasona y fluticasona. El cromoglicato sódico y nedocromil sódico son alternativas.

Paso 3

Si el asma sigue sin estar controlada, necesitará tomar dosis más altas de preventivos y el médico puede sugerir un espaciador.

Paso 4

Necesitará probar algún otro aliviador a corto plazo y otro a largo plazo, además de un preventivo de dosis elevada.

Paso 5

Además de lo indicado en el paso anterior puede que necesite tomar pastillas de esteroides a diario de forma sistemática.

SEÑALES DE ALARMA

Además de las lecturas del flujo máximo, existen otras señales que nos indican que el asma se escapa a nuestro control.
- *Necesita utilizar el inhalador más a menudo y sus efectos no duran tanto tiempo.*
- *Se despierta de noche sin aliento, con tos y sibilancias.*
- *Le falta el aire tras realizar un poco de ejercicio.*

No debe aumentar la medicación ante el menor descenso en la lectura. Algunos estudios demuestran que el medidor de flujo máximo mejora el control del asma en personas con asma aguda, pero en los demás casos no reduce la frecuencia de los ataques ni mejora la ansiedad.

Efectos secundarios de la medicación

H*ay pocos medicamentos sin efectos secundarios, pero el médico determinará que el riesgo asociado se compensa con los beneficios obtenidos. Si le preocupa el uso prolongado de algunos de estos medicamentos, consulte al médico.*

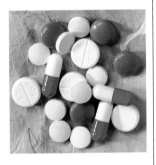

Los medicamentos pueden ser vitales para controlar la enfermedad, incluso pueden salvarle la vida, pero tienen efectos secundarios, de modo que hay que controlar su utilización.

Broncodilatadores

Estos medicamentos proporcionan alivio inmediato al relajar los bronquios cuando éstos se contraen y provocan falta de aire y sibilancias. Sin embargo, un abuso sistemático de agonistas beta 2 puede empeorar el estado de los pulmones. El abuso altera el revestimiento interno de las vías respiratorias y afecta a la descomposición del magnesio que impide la rigidez de las vías respiratorias, lo cual sensibiliza todavía más los pulmones.

Cuanto más se utilice el broncodilatador, más dosis harán falta para lograr el mismo efecto. Estos medicamentos también pueden tener un efecto rebote: si deja de utilizarlos, el asma empeorará. Algunos médicos opinan que el exceso de medicación contra el asma ha contribuido al enorme incremento de asmáticos.

En Nueva Zelanda, los investigadores descubrieron que una epidemia de asma, y una serie de muertes ocurridas en los años 1980 se habían debido al broncodilatador fenoterol. Concluyeron que un asmático grave que utilizara fenoterol tenía 13 veces más riesgo de morir que otro que utilizara un aliviador a baja dosis, el medicamento estimulaba el corazón además de los pulmones.

Igualmente, un estudio realizado en una serie de facultades de medicina del Reino Unido concluyó que la utilización de fenoterol y sambutamol, a través de un inhalador, estaba asociada a un aumento en el riesgo de muerte.

Estos riesgos se refieren a dosis muy altas, de modo que es importante utilizar el broncodilatador únicamente cuando sea necesario. Los médicos recomiendan no utilizarlo más de una vez por día.

EFECTOS SECUNDARIOS DE LOS BRONCODILATADORES		
TIPO DE FÁRMACO	**NOMBRE COMERCIAL**	**EFECTOS SECUNDARIOS**
BRONCODILATADOR DE EFECTO INMEDIATO	Salbutamol, terbutalina, fenoterol, orciprenaline.	En dosis más elevadas de lo normal, estimulan el corazón. Pueden producir palpitaciones, corazón acelerado y ritmos anormales.
BRONCODILATADOR DE EFECTO PROLONGADO	Salmeterol, eformoterol*, teofilina. * No disponible en Sudáfrica.	La teofilinatomada en cantidad excesiva resulta peligrosa y hay que medir su nivel en sangre con análisis periódicos. Otros medicamentos, como los antibióticos y los antiulcerosos, aumentan el riesgo asociado a la teofilina.

Esteroides

Los esteroides inhalados alivian las vías respiratorias y en dosis adecuada (por debajo de 800 µg) no deberían crear problemas. Administrados con regularidad, los esteroides inhalados pueden retrasar el crecimiento infantil y algunos estudios demuestran que en los adultos reducen la formación de hueso, incluso a dosis bajas.

En dosis superiores a las normales (1.500-2.000 µg/día), los esteroides anulan la producción propia por parte de la glándula adrenal. Esto aumenta la vulnerabilidad a infecciones. En niños, enfermedades como el sarampión o la rubéola pueden agravarse.

En caso de emergencia, las glándulas adrenales liberan una oleada de esteroides, pero eso no ocurrirá si los estamos tomando en dosis elevadas. Es importante llevar encima una tarjeta de advertencia sobre la ingesta de esteroides hasta dos años después de haberlos dejado de tomar.

El exceso de actividad de las glándulas adrenales y/o la ingesta de esteroides de dosis alta durante cierto tiempo produce el síndrome de Cushing. Los síntomas típicos incluyen rostro enrojecido, abdomen inflamado, un abultamiento en la nuca, debilidad muscular e hipertensión. También puede producirse aumento de peso. La piel se hace más fina y aparecen estrías y acné. Las mujeres pueden desarrollar vello. Todos estos síntomas desaparecen al dejar de medicarse.

Los esteroides inhalados pueden provocar ronquera y hongos en la boca. La ronquera se combate cepillándose los dientes tras la inhalación y enjuagando bien la boca. Un yogur con bífidus a diario puede prevenir la infección por hongos.

Xantinas

La aminofilina no mejora la respiración ni activa la recuperación de un ataque de asma agudo. Los efectos secundarios son: dolor de cabeza, náuseas y vómitos.

Medicamentos contra la fiebre del heno

La terfenadina, un antihistamínico que no causa somnolencia, se ha relacionado con muertes por fallo cardíaco. Sólo está disponible con receta médica y no debe tomarse en caso de enfermedad coronaria o hepática, ni si se están tomando antibióticos o medicación antifúngica. No debe tomarse con zumo de pomelo, ya que aumenta la absorción en sangre.

Otro antihistamínico, la fexofenadina, parece ser tan eficaz como la terfenadina, pero sin sus efectos secundarios.

Los aerosoles descongestionantes reducen el flujo sanguíneo en la nariz, pero pueden dañar el revestimiento de las fosas nasales. Los pulverizadores de esteroides de baja concentración no provocan estos problemas.

Descubrir más de

Medicamentos para asma   64
Tratar la fiebre del heno   68

MEDICAMENTOS PARA PROBLEMAS DE PIEL

El aceite de prímula puede provocar dolor de cabeza, náuseas o indigestión, pero los efectos disminuyen si se toma con las comidas.

Si se aplica un exceso de esteroides tópicos, la piel se secará y hará más fina, y resultarán visibles los diminutos vasos sanguíneos bajo la piel. Los esteroides dañan el tejido de la dermis y favorecen la aparición de estrías permanentes. En personas de piel oscura, puede apreciarse una disminución temporal de la pigmentación en la zona de aplicación. También puede crecer el vello.

Las cremas antibióticas pueden provocar irritación o reacción alérgica. El picor se debe seguramente a los ingredientes del producto. Si la piel se inflama, deberá comunicarse al médico.

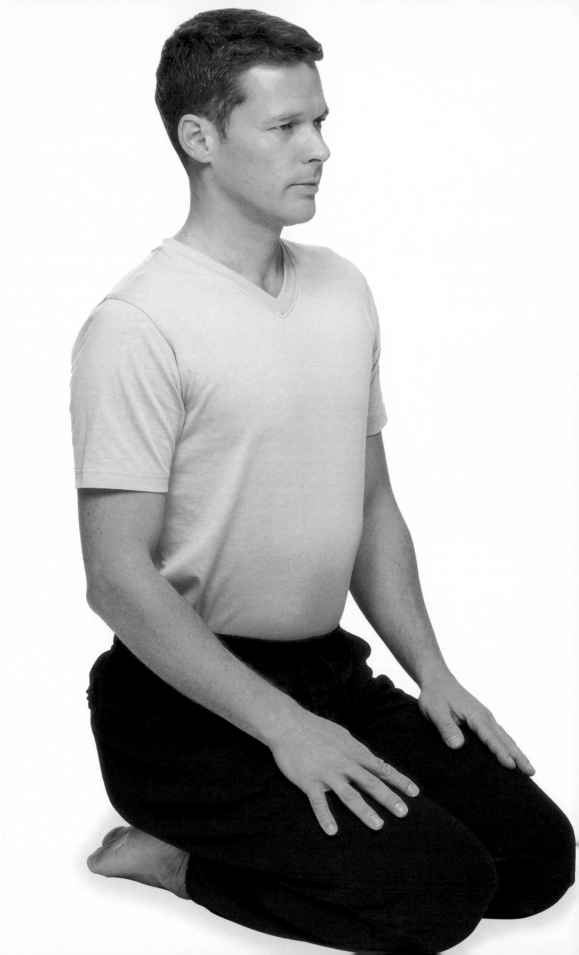

4

LAS OPCIONES

DE TRATAMIENTO

Algunas alergias, como el eccema, responden bien a terapias alternativas como único remedio, pero en el caso del asma no es aconsejable abandonar la medicación convencional, y ningún terapeuta alternativo serio se lo recomendará. El tratamiento permite disminuir la cantidad de medicamentos ingeridos, pero, aunque resulta comprensible la preocupación por la ingesta diaria de medicamentos, no hay que olvidar la eficacia de los medicamentos contra el asma, y el hecho de que salvan vidas.

Este capítulo describe una serie de terapias alternativas que pueden ayudar a aliviar el problema. Los tratamientos van de los autoadministrados, como el yoga y la aromaterapia, hasta los aplicados por un terapeuta, como la acupuntura, la fitoterapia y la osteopatía.

¿Por qué medicina alternativa?

Hace cuarenta años, las terapias alternativas estaban marginadas y la mayoría de las personas acudía a médicos convencionales que dedicaban tiempo a escuchar a sus pacientes. Actualmente, la medicina convencional está aquejada de muchas prisas y cada vez más personas vuelven a la medicina alternativa.

El buen funcionamiento de los pulmones es, por supuesto, parte esencial del mecanismo de supervivencia del organismo. Cuando los bronquios se inflaman, sobreviene el ataque asmático.

El médico puede recetar pastillas, cremas, lociones e inhaladores para mantener a raya los síntomas, y la mayoría lo consigue. Los picores se calman, las vías respiratorias se despejan, dejamos de estornudar y los ojos dejan de estar rojos. A veces, estos medicamentos salvan vidas. Entonces, ¿por qué cada vez más personas acuden a la medicina alternativa junto a, o en lugar de, la convencional? ¿Es eficaz en el tratamiento de problemas serios como el asma y el eccema severo?

Los médicos son capaces de radiografiar todo el cuerpo e incluso de manipular los genes, pero algunos se

muestran distantes y muchas personas sienten que el médico sólo se interesa por sus pulmones o su piel.

Uno de los atractivos de la medicina alternativa es que las terapias son holísticas, los terapeutas tratan a la persona en conjunto, su mente y su espíritu, además del cuerpo. Sostienen que existe una estrecha relación entre el cuerpo, las emociones y el alma, y que la energía del cuerpo debería fluir libremente entre las tres. Estos terapeutas piensan que enfermamos cuando la energía disminuye o se bloquea y trabajarán todo el cuerpo para liberar esa energía y restaurar la salud.

El acupuntor llama *qi* o *chi* a esa energía y sostiene que fluye a lo largo de una red de vías llamadas meridianos. El maestro de yoga nos enseñará que la energía pasa a través de los chakras.

Mientras que la medicina convencional cura enfermedades agudas, no resulta eficaz con las crónicas, dolencias que persisten porque no hay medicamento para curarlas. El asma y la mayoría de las alergias entran dentro de esta categoría, junto con muchos tipos de dolor de espalda, migrañas, síndrome del colon irritable y fatiga crónica.

El médico puede mantener controlados los síntomas, pero en cuanto se abandona la medicación, volverán, a menudo con más fuerza. Muchas de estas dolencias pueden tener un origen psicológico, provocado por dificultades en el trabajo o en casa, por unas malas

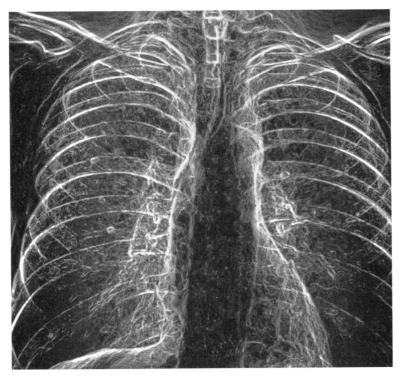

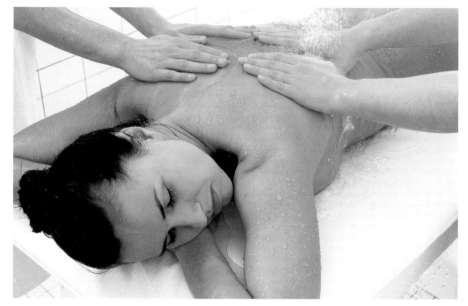

Descubrir más de

El estrés   56
La elección del especialista 150

Los beneficios terapéuticos del masaje se reconocen ampliamente. Reduce el estrés y fomenta la relajación que, a su vez, ayuda a eliminar el eccema o evita un ataque de asma.

condiciones de vida, etc. y se benefician mucho del enfoque holístico.

La medicina alternativa puede ayudar a las personas asmáticas y alérgicas. Algunas terapias ayudan a reducir el estrés y la ansiedad. Otras pueden disparar los niveles de energía al trabajar sobre los meridianos con agujas o la punta de los dedos, o mediante una bebida de plantas o un remedio homeopático.

Todos ellos obligan al paciente a controlar su situación y a responsabilizarse de su salud. En lugar de limitarse a tomar los medicamentos recetados por el médico y esperar que los síntomas desaparezcan para proseguir con su vida, el paciente es consciente de sus necesidades, tanto físicas como mentales.

Para muchas personas, la medicina alternativa ofrece esperanza y un medio para convivir con la dolencia. Incluso puede ofrecer una cura. Asimismo, fomenta la autoconfianza.

Algunas terapias complementarias funcionan muy bien con las enfermedades crónicas, y lo hacen sin efectos secundarios.

A través de la medicina alternativa, controlamos nuestra energía mediante la relajación, comiendo adecuadamente, respirando bien y aumentando nuestro bienestar mental y espiritual. Supone considerar las causas de la enfermedad, además de los síntomas.

ATENCIÓN CON LOS ESPECIALISTAS

Puede que sienta que la medicina convencional no puede hacer nada más por su dolencia, pero tenga cuidado en la elección del especialista alternativo. En algunos países, cualquiera puede ejercer la medicina alternativa, por lo que es importante acudir a un terapeuta con titulación.

Aparte del hecho de que un terapeuta mal preparado puede causar más mal que bien, tanto física como psicológicamente, puede poner en riesgo nuestra vida al no reconocer una enfermedad para la que existe un tratamiento convencional. La medicina alternativa es dañina cuando interfiere en un correcto diagnóstico y tratamiento eficaz, de modo que antes de acudir a un terapeuta es conveniente acudir al médico. Hay que ser muy precavido con un terapeuta que nos aconseje dejar de tomar nuestros medicamentos.

La elección de una terapia

¿CUÁL ES LA TERAPIA MÁS INDICADA?

TÉCNICAS RESPIRATORIAS (págs. 86-89)	Se basan en la creencia de que muchas personas no respiran bien y no utilizan toda su capacidad pulmonar. Esta hiperventilación genera estrés, cansancio, tensión y problemas crónicos como el asma. Al aprender a respirar, podemos restablecer nuestra salud.
YOGA (págs. 90-93)	Es una disciplina espiritual y mental consistente en unos ejercicios destinados a favorecer la salud y el bienestar. El cuerpo se tonifica, se utilizan los pulmones plenamente y la columna se mantiene flexible, lo que fortalece nuestra vitalidad.
T'AI CHI/QIGONG (págs. 94-97)	El T'ai chi consta de una serie de movimientos suaves que siguen una forma. El qigong (chi-kung) es un antiguo sistema chino de ejercicios, posturas, respiración y disciplina mental. Ambos favorecen la salud y el bienestar al restaurar el flujo de energía vital, o qi, por el cuerpo.
ENTRENAMIENTO AUTOGÉNICO VISUALIZACIÓN (págs. 98-99)	El entrenamiento autogénico favorece el bienestar físico y mental a través de ejercicios de autosugestión que combaten el estrés, mejoran la creatividad, favorecen la relajación y estimulan el mecanismo de autocuración. La visualización aprovecha el poder de la imaginación para combatir la enfermedad y el estrés.
MEDITACIÓN (págs. 100-101)	Practicada regularmente, la meditación produce un estado de profunda relajación que mejora situaciones relacionadas con el estrés, como el asma y las alergias.
RELAJACIÓN (págs. 102-103)	La verdadera relajación exige concentración. La respiración se vuelve más lenta y profunda, la sangre absorbe más oxígeno y los músculos se relajan.
AROMATERAPIA (págs.104-105)	Utiliza los aceites esenciales de las plantas, cada uno de los cuales posee cualidades terapéuticas diferentes.
ACUPUNTURA/ ACUPRESIÓN (págs. 108-110)	La acupuntura se practica desde hace 5.000 años. Implica la mejora o desbloqueo del qi, que fluye por el cuerpo a lo largo de vías invisibles, o meridianos, a través de la inyección de finas agujas en lugares concretos. La acupresión sigue los mismos principios, pero utilizando la presión de los dedos en lugar de agujas.
SHIATSU (págs. 110-111)	Antiguo masaje oriental que utiliza la presión de los dedos, las palmas de la mano o los pies sobre distintas partes del cuerpo. Aumenta la vitalidad, libera tensiones, alivia el dolor y aumenta la capacidad autocurativa.
FITOTERAPIA (págs. 112-119)	Tanto la china como la occidental utilizan plantas para tratar enfermedades. La idea es que el organismo se fortalezca y luche contra la enfermedad.

¿CUÁL ES LA TERAPIA MÁS INDICADA?

AYURVEDA (págs. 120-121)	Es la medicina tradicional de la India. Restaura el equilibrio a través de la dieta, el masaje, la fitoterapia y el yoga.
HOMEOPATÍA (págs. 122-123)	Se basa en la idea de que "semejante cura a semejante". El homeópata trata con cantidades traza de la sustancia que provoca los síntomas de la enfermedad.
OSTEOPATÍA/ QUIROPRÁCTICA (págs. 124-127)	Ambas terapias son métodos de manipulación de articulaciones y músculos para corregir desalineaciones musculoesqueléticas.
TÉCNICA ALEXANDER (págs. 128-129)	Trata el organismo a través de las posturas. Una vez conseguida la armonía postural y aprendido a utilizar correctamente el cuerpo, mejoran las funciones corporales, como la respiración, la circulación y la digestión.
NATUROPATÍA/ TERAPIA NUTRICIONAL (págs. 130-135)	La naturopatía aspira a la autosanación del cuerpo a través del ayuno, la dieta, la hidroterapia y el ejercicio. La terapia nutricional es parecida y restaura la salud a través de la dieta y los suplementos.
HIDROTERAPIA (págs. 136-137)	Utiliza el agua mineral y las fuentes termales para restaurar la salud.
MASAJE (págs. 138-141)	Relaja los músculos y mejora el flujo sanguíneo estimulando el sistema linfático. Existen muchas clases diferentes, desde el relajante masaje sueco hasta el vigoroso masaje chino, *tuina*, o el profundo masaje hindú, *marma*.
SANACIÓN (págs. 142-143)	Actúa a través de la energía espiritual o cósmica que fluye a través de las manos del sanador hasta el cuerpo del paciente, transformando la enfermedad y produciendo bienestar. Se conoce también como imposición de manos.
REFLEXOLOGÍA (págs. 144-145)	Se basa en la teoría de que los órganos y todas las partes del cuerpo están unidos mediante canales que terminan en las manos o los pies. El reflexólogo presionará suavemente sobre los pies para desbloquear esos canales.
BIOFEEDBACK (págs. 146)	Es un método para controlar las funciones biológicas a través de un instrumento que proporciona una retroalimentación.
HIPNOTERAPIA (págs. 147)	Produce un estado alterado de la consciencia a través de una profunda relajación. Una vez relajado el paciente, el terapeuta hará sugerencias para liberarlo del estrés y la ansiedad que empeoran los síntomas.

Terapias autoadministradas

Los efectos de disciplinas como la meditación, el t'ai chi y el qigong son profundos, pero no son rápidas ni reducirán los síntomas al instante. Muchas personas manifiestan que la práctica de esas técnicas afecta a su vida y las vuelen más tranquilas y fuertes, tanto física como mentalmente.

Si nuestra vida no está saturada de actividades de la mañana a la noche, sentimos que no rendimos plenamente. En lugar de enfrentarnos a nuestros problemas, corremos de un lado a otro mientras llenamos nuestra vida de compromisos y obligaciones, lo que aumenta nuestro estrés y elimina todo tiempo libre para nosotros.

El estrés no es del todo malo, sin él haríamos pocas cosas, pero si nuestra vida es estresante debemos aprender a manejarlo. Si no logramos relajarnos y liberarnos del estrés, al mismo tiempo que recargamos nuestra energía, empezaremos a mostrar síntomas de tensión crónica, como úlcera, dolor de cabeza, molestias gástricas y alergias.

Puede que el mundo se pare momentáneamente cuando nos relajamos y encendemos un cigarrillo, pero, a largo plazo, estos pequeños parches no aliviarán el estrés que contribuye a nuestra asma o alergias, y puede aumentar nuestra tensión. La verdadera relajación se logra mediante un estado de sosiego de la mente, a través de la meditación, la oración, técnicas de relajación o ejercicios relajantes como el tai chi. Todos resultan sencillos de aprender e incorporar a nuestra vida. Nos permiten desconectar de las presiones diarias y recargar nuestra energía. Incorporar estas técnicas a nuestra vida no resulta siempre fácil, pero los resultados merecen la pena.

Técnicas respiratorias

La respiración es tan natural y esencial en la vida que la mayoría la dan por sentada. Sin embargo, los asmáticos saben lo precioso que es el aire y son más conscientes de su respiración que la mayoría de las personas.

Se calcula que una cuarta parte de las personas no respiran adecuadamente, un hecho que puede producir diversos problemas médicos. En estado de reposo respiramos una vez cada seis segundos, pero los asmáticos pueden necesitar aumentar la frecuencia.

La hiperventilación, o respirar en exceso, puede producir problemas crónicos como dolor de cabeza, cansancio, ansiedad, colon irritable e incluso enfermedad coronaria.

Maneras de respirar

Respiremos por la boca o por la nariz, existen dos maneras básicas de hacerlo: con el pecho o mitad superior de los pulmones, o con el diafragma, el músculo acampanado que separa el pecho del abdomen.

En la respiración normal, el aire entra en los pulmones, el diafragma se aplana y los músculos intercostales se contraen para que el pecho se expanda hacia fuera.

Al espirar, el diafragma se relaja y recupera su forma, y el pecho se hunde. Aunque el pecho se mueva hacia dentro y fuera al respirar, el principal movimiento debería producirse en el abdomen.

Cuando estamos nerviosos, tensos o estresados, tendemos a respirar con el pecho. En lugar de utilizar el diafragma, utilizamos los músculos de la caja torácica. Por algún motivo, el hábito de respirar con el pecho se ha extendido, lo que nos conduce a un innecesario estado de elevada tensión.

La respiración eficaz

La clave de una buena respiración es la relajación, y la emoción. La ansiedad, el miedo, el estrés y la tensión aceleran la respiración y la vuelven más superficial. El placer, la felicidad y el bienestar físico y emocional profundizan y fortalecen la respiración.

Tanto la medicina convencional como la alternativa comprenden la

LA ESPIRACIÓN

La respiración superficial, en la que se inspira una cantidad inadecuada de aire debido a que no se ha espirado el suficiente, es habitual y produce efectos negativos sobre el organismo. La clave para evitar la respiración superficial es concentrarse en la espiración.

• Inspire por la nariz y espire por la boca mientras emite un suspiro.

• Al sentarse, espire prolongada y lentamente. Intente contar hasta cinco al espirar.

• Al caminar, cuente hasta dos en cada inspiración y otra vez en la espiración. Auméntelo poco a poco hasta cinco.

importancia de respirar bien. Pero en algunas terapias, constituye la piedra angular de la salud. Los santones o yoghis hindúes practican *pranayama*, o respiración profunda, para calmar la mente y el espíritu. En la medicina china tradicional, la armonía se logra cuando el *qi* interno, o energía vital, se hace uno con el externo.

Descubrir más de

Yoga	*90–93*
T'ai chi	*94–95*
Meditación	*100–101*

1 *Siéntese cómodamente. A algunas personas les gusta sentarse con las piernas cruzadas y a otras sobre los talones. También puede sentarse en una silla, preferiblemente con el respaldo recto, o tumbarse sobre una alfombrilla.*

2 *Para acostumbrarse a la respiración abdominal, con el diafragma, coloque la mano derecha sobre el abdomen, justo por debajo de la caja torácica, y la mano izquierda en el centro del pecho. Si la respiración es abdominal, la mano derecha debería moverse de dentro afuera y la izquierda permanecer quieta. Una vez controlado, se pasa al punto 3.*

3 *Descanse las manos, una sobre la otra y con los pulgares rozándose ligeramente, sobre el regazo. Relaje los hombros —deberían inclinarse ligeramente hacia abajo y hacia atrás—. Cierre los ojos o descanse la mirada sin enfocar nada. Respire profundamente por la nariz mientras siente la expansión del abdomen. Cuente hasta 10 mientras inspira, aguante la respiración unos segundos y espire lentamente, soltando todo el aire que pueda. Si su mente se distrae con algo, deje que fluya y se marche. No intente bloquearla ni expulsarla. Concéntrese en la respiración y repita 10 veces.*

Técnicas respiratorias

La clave del método Buteyko está en medir la pausa de control: el tiempo que logra aguantar la respiración.

EL MÉTODO BUTEYKO

Creado en la década de 1950 por un científico ruso, Konstantin Buteyko, consiste en una serie de ejercicios diseñados para reeducar los patrones de respiración. Es popular en Rusia, Australia, Nueva Zelanda y el Reino Unido, pero desconocido en cualquier otra parte.

La teoría Buteyko

Los terapeutas opinan que el asma es un desorden respiratorio que se desarrolla cuando los asmáticos hiperventilan, incluso durante un ataque de asma. Lo normal es inspirar de 4 a 6 l de aire por minuto. En un estudio realizado en Australia, los participantes respiraban 15 l por minutos.

Con cada respiración absorbemos oxígeno (O_2) que pasa al torrente sanguíneo. Al espirar se expulsa dióxido de carbono (CO_2). El papel del O_2 está claro, pero el CO_2 se contempla a menudo como un simple producto de desecho. Sin embargo, necesitamos una cantidad adecuada de CO_2 en sangre para que el oxígeno se transfiera de los pulmones a la sangre y a los órganos vitales. En este sentido, el CO_2 es esencial para controlar los principales sistemas, como el corazón y los sistemas circulatorio, digestivo e inmunitario. El CO_2 se almacena en los alveolos pulmonares.

Al hiperventilar, se elimina demasiado CO_2 y el resto se diluye en los alveolos. Al no tener suficiente CO_2 en sangre, los glóbulos rojos no pueden liberar el oxígeno. Es decir que, al hiperventilar, el organismo consigue menos oxígeno. Los terapeutas del método Buteyko aseguran que esta hiperventilación crónica provoca dolencias como el asma y el eccema.

A través del método Buteyko se puede reprogramar la respiración para evitar la hiperventilación y aliviar los síntomas. Si sabemos controlar la hiperventilación y normalizar la respiración, podremos superar un ataque y estaremos en camino de aliviar los síntomas del asma.

Los terapeutas de este método sostienen que, tras dos o tres días de tratamiento, la medicación podrá reducirse entre un 40 y un 50 por ciento, y después de varios días más, en un 80 por ciento.

La técnica

El método —básicamente, una serie de ejercicios respiratorios— parece demasiado sencillo para que funcione, pero muchas personas han reducido espectacularmente su medicación e insisten en que sus síntomas han desaparecido.

Los ejercicios respiratorios Buteyko son complejos y deben ser explicados por un terapeuta competente. Hacen falta entre tres y cinco clases de hora y media, y resultan bastante caras. Sin embargo, si no hay mejora, los terapeutas de Buteyko devolverán el dinero. Las clases de Buteyko se imparten únicamente en Rusia, Australia, Nueva Zelanda, Israel y el Reino Unido, pero si no tiene acceso a algún terapeuta, en este libro se explican los principales pasos.

La pausa de control

El curso se inicia con la pausa de control. Es el tiempo que es capaz de aguantar la respiración sin agobios, y los terapeutas afirman que indica si está hiperventilando.

Para medir la pausa de control debe sentarse cómodamente en una silla con el respaldo recto, relajarse y espirar. Inspire con suavidad, vuelva a espirar, y tapónese la nariz con la mano. Aguante la respiración hasta que se sienta incómodo.

Si aguanta la respiración durante un minuto, es excelente, pero una pausa de 40-60 segundos indica que la salud es buena. Si aguanta la respiración 30 segundos, sufre asma moderada y si sólo aguanta 10 segundos, su asma es severa.

El segundo día se continúa con la pausa de control. Sólo quienes gocen de óptima salud podrán aguantar la respiración durante un minuto, pero si combate la necesidad de coger aire, la pausa será cada día más larga, ya sea de 10 o de 30 segundos.

Adquiera la costumbre de practicar cuatro pausas largas y dos medianas, separadas por intervalos de tres minutos de respiración superficial, cuatro veces al día. Con el tiempo, la respiración volverá a la normalidad.
• Procure siempre respirar a través de la nariz y no de la boca. Es fundamental en el método Buteyko. Si la nariz está congestionada por el asma, aguantar la respiración y respirar profundamente podrían despejarla.
• No se tumbe a no ser que tenga mucho sueño, porque tumbado aumentan las respiraciones. Siéntese erguido en una silla para leer, ver la televisión o meditar.
• No se olvide la medicación contra el asma. Buteyko no pretende excluir la medicina convencional. Utilice el broncodilatador, pero únicamente si siente opresión en el pecho. Si quiere reajustar la dosis de esteroides, hágalo junto a su médico.
• Concéntrese en respirar menos, no más. Reprima el deseo de engullir el aire.

Evidencias médicas

A pesar del éxito del método, muchas asociaciones de asmáticos son escépticos al no considerar la hiperventilación un factor determinante en el asma.

Sin embargo, los estudios clínicos realizados en Australia muestran que los practicantes de este método redujeron la utilización del broncodilatador en un 90 por ciento, tras seis semanas. Sin embargo, no hubo cambios en el flujo máximo, ni en las pruebas rutinarias para determinar la gravedad del asma.

Descubrir más de

El sistema respiratorio 18
El biofeedback 146

OXÍGENO Y DIÓXIDO DE CARBONO

■ *Aire*

■ *Oxígeno (O$_2$)*

■ *Dióxido de carbono (CO$_2$)*

Una bocanada de aire consiste en un 20 por ciento de oxígeno y un 0,03 por ciento de dióxido de carbono (izquierda). Pero, para que se pueda realizar la transferencia de oxígeno de los pulmones a la sangre —y de ahí al resto del cuerpo—, hace falta un 6 por ciento de dióxido de carbono y un 2 por ciento de oxígeno en los pulmones (derecha). Así pues, el cuerpo almacena dióxido de carbono en los alveolos, diminutos sacos de aire. Cada pulmón contiene más de 350 millones de alveolos, rodeados de capilares sanguíneos.

El yoga

Se trata de un antiguo sistema hindú de ejercicios y posturas, o asanas, que desbloquea tensiones y produce un bienestar físico, mental y espiritual. Su nombre proviene del sánscrito y significa "unión".

Existen muchos tipos diferentes de yoga, algunos de los cuales se practican desde hace más de 5.000 años. En Occidente, los más populares son el hatha yoga, que consiste en una serie de suaves ejercicios y posturas, y el iyengar yoga, más avanzado y físicamente demandante.

Además de las posturas, el yoga incorpora la meditación, los ejercicios respiratorios (pranayama), la relajación y la dieta. Con la práctica regular del yoga, no sólo se tonifican los músculos, se estira la columna y se adquiere más flexibilidad, sino que se logra un estado de consciencia a través del control y la disciplina mental. El yoga surgió como el medio para alcanzar una elevada espiritualidad.

El yoga ayuda a calmar el asma y las alergias de diversas maneras: alivia el estrés y la tensión y regula la respiración. Enseña a relajarse y a no sentir pánico, y aumenta la fuerza y la voluntad.

Los maestros de yoga que trabajan con asmáticos afirman que se fortalecen los músculos respiratorios y se tonifican los tejidos pulmonares. Al aprender a controlar la respiración y a relajar el pecho para inspirar y espirar plenamente, los pulmones se volverán menos sensibles a los alérgenos. La práctica regular del yoga consigue mejorar en semanas, no sólo el asma, sino cualquier problema de piel, como el eccema.

El yoga no es un ejercicio físico en sentido estricto, ni algo que nos sea aplicado por otros, como la acupuntura.

Es bueno asistir a clases de yoga para aprender los movimientos correctamente, pero una vez dominados, puede incorporarse a la vida diaria y practicarse tranquilamente en casa. Las asanas de yoga están pensadas para mejorar el flujo de prana, o energía vital. Las posturas físicas y, tan importantes o más, los ejercicios respiratorios calman la mente y mejoran el flujo de energía vital. El yoga es adecuado para cualquier edad.

Posturas de yoga

Existen unas 80 posturas, pero la mayoría de las personas practica unas 20. Debe llevarse ropa suelta y los pies descalzos, y practicarse sobre el suelo o en una alfombrilla para yoga.

El yoga debe practicarse con el estómago vacío. Antes de practicar las asanas hay que dejar pasar tres horas desde la última comida. Lo ideal es antes del desayuno o la cena.

Las clases comienzan por un estiramiento y las asanas se alternan con ejercicios de relajación profunda y de respiración. Se suele terminar con la postura del cadáver, una poderosa arma contra el estrés.

No hay que tener prisa ni sufrir. Si no consigue adoptar una postura, haga lo que pueda. Los movimientos deben ser lentos y suaves y las asanas mantenerse entre 20 segundos y dos minutos. En el yoga es importante hacer posturas opuestas al estirar: antes de inclinarse hacia delante, hay que inclinarse hacia atrás; a la izquierda tras estirar hacia la derecha, etc.

Se trabaja según la capacidad de cada uno, aguantando la respiración durante unos segundos.

Puede que sienta incomodidad al estirar, pero si lo hace lentamente, no sufrirá ningún daño.

Tanto las posturas como los ejercicios respiratorios alivian problemas como asma, fiebre del heno, bronquitis, sinusitis, resfriados y tos. Los asmáticos tienden a respirar superficialmente, y el yoga profundiza la respiración e induce a la relajación, disipando cualquier tensión que conduzca a un ataque.

Empiece por un ejercicio respiratorio para relajarse. Ayuda a desarrollar buenos hábitos de respiración y alivia los síntomas del asma o la fiebre del heno.

Respiración nasal alternada

Siéntese recto y coloque el pulgar y el dedo índice de la mano derecha sobre el puente de la nariz. Cierre la narina izquierda con el dedo anular. Inspire por la narina derecha y espire vigorosamente y en 10 veces. Cambie de manos y respire por la otra narina.

Respiración de susurro

Este ejercicio se recomienda para cualquiera que sufra un problema respiratorio, sobre todo asma. Sentado frente a una vela encendida con las manos, hombros y mandíbula relajados, respire con normalidad. Inspire profundamente y sople lentamente la vela. No la apague, simplemente haga que oscile. Al terminar la espiración, cierre la boca, inspire por la nariz y repita.

Descubrir más de	
Las vías respiratorias	289
Técnicas respiratorias	86

Kapalabhati

1 *El nombre de esta postura significa "cráneo brillante" y se aprende en pocos días. Sentado con las piernas cruzadas y la espalda recta, relájese con un par de respiraciones por la nariz. Espire con fuerza y contraiga los músculos abdominales.*

2 *Inspire y relaje el abdomen. Repita este bombeo rápidamente 10 veces cada respiración. Repita al menos tres veces.*

El yoga

El triángulo

1 *De pie con los pies hacia fuera y separados a mayor anchura que la de los hombros, extienda los brazos lateralmente a la altura de los hombros y con las palmas hacia abajo.*

2 *Inspire y, al espirar, inclínese a la derecha y deslice el brazo derecho por la pierna derecha sujetándola lo más abajo que pueda. A la vez, alce el brazo izquierdo sobre la cabeza.*

3 *Aguante la postura durante varias respiraciones y repita el ejercicio hacia el otro lado.*

El arco

1 *Tumbado boca abajo con las piernas un poco separadas sobre el suelo, los brazos a los lados y las palmas hacia arriba.*

2 *Respire con normalidad. Doble las rodillas y llévelas hacia los glúteos. Despacio y con cuidado, incline la cabeza hacia atrás y agarre los tobillos con las manos.*

3 *Espire mientras tira de los pies hacia arriba. Aguante la postura mientras pueda, respirando con normalidad. Descanse y repita.*

La cobra

1 *Tumbado sobre el vientre con la frente apoyada en el suelo, los brazos doblados y las palmas de las manos sobre el suelo, bajo los hombros.*

2 *Inspire mientras levanta la cabeza y el tronco del suelo. No fuerce la postura.*

3 *Aguante todo lo que pueda mientras respira con normalidad. Vuelva a la posición inicial, descanse y repita.*

El camello

1 Arrodillado y sentado sobre los tobillos con los dedos de los pies hacia fuera. Apoye las manos sobre los muslos.

2 Inspire y, sin mover los pies ni las rodillas, levante el trasero hasta quedar arrodillado y erguido.

3 Échese hacia atrás y toque el talón izquierdo con la mano izquierda. Incline la cabeza hacia atrás.

4 Échese hacia atrás y toque el talón derecho con la mano derecha. Los brazos, espalda y piernas deberían formar un rectángulo. Respire con normalidad y aguante la postura 10 segundos.

Descubrir más de

Controlar el asma	74
La elección de una terapia	82
La medicina ayurvédica	120

CASO CLÍNICO

Robert, que actualmente tiene 50 años, consiguió controlar su asma a través del yoga. Se convirtió en asmático a los ocho años. Era alérgico al polen, hongos, ácaros, plumas y algunos alimentos. Hacia los treinta años sufrió bronquitis, de la que no llegó a recuperarse del todo.

"Cada vez estaba peor. Sufría ataques de asma con regularidad y cada vez tomaba más medicamentos. Por las noches me despertaba con espasmos. En esa época conocí a un médico hindú que me introdujo en el yoga. Casi de inmediato me sentí mejor, y en unos tres años de hora y media de práctica al día, me curé

por completo. Eso fue hace 20 años y, desde entonces, no he vuelto a medicarme. Ni siquiera sufro asma en época de polinización.

Aún practico yoga a diario, aunque no tanto como antes. No me gusta dejarlo, pero tampoco me hace falta para no sufrir un ataque. Aparte de curar mi asma, el yoga me ha centrado y ha logrado que me enfrente mejor al estrés. El yoga no cura a todo el mundo —yo tuve suerte—, pero con la práctica regular, siempre aliviará los síntomas. Además, es un medio para hacerse fuerte y controlar el asma, no al revés".

T'ai chi

1 *Pies separados a la anchura de los hombros. Desbloquee las rodillas.*

2 *Manos relajadas. Inspire y eleve los brazos a la altura de los hombros.*

Mientras que casi todo el mundo corre al trabajo, se levanta de la cama de un salto y engulle el desayuno sin perder un minuto, los chinos comienzan el día, a menudo en grupo, practicando unos movimientos parecidos a una danza, el t'ai chi. Al amanecer, decenas de millones de chinos en todo el mundo practican lo que se ha denominado "nadar sobre la tierra".

El t'ai chi, o t'ai chi chuan (la suprema unidad), es como caminar a cámara lenta. Consiste en una serie de suaves y elegantes movimientos que fluyen siguiendo un patrón o forma, y cuyo objetivo es estimular el flujo natural de energía, o *qi*, a través de los meridianos, o canales de energía del cuerpo. Si el qi fluye libremente, gozaremos de buena salud.

Se cree que el t'ai chi fue inventado hacia el siglo XII por el místico taoísta Chang San-Feng. Fue obligado a unirse al ejército y le preocupaba la naturaleza dura y agresiva del entrenamiento marcial, lo que hoy llamaríamos kung fu.

Decidió desertar y desarrolló una serie de movimientos, como una danza, para estimular el desarrollo físico y mental. Según otra leyenda, el t'ai chi fue creado como arte marcial por unos monjes que tenían prohibido portar armas.

Los ejercicios se inspiran en los movimientos de la naturaleza: el viento, el vuelo de las aves, el mar. Se ha descrito como un arte marcial no violento, o "interno".

Mientras que los occidentales son competitivos y aprenden a esforzarse al máximo en el trabajo, en casa, en el gimnasio y en su vida personal, el t'ai chi resalta el poder de la flexibilidad, de rendirse y "seguir la corriente".

Al no ser competitivo, el t'ai chi se suele practicar a solas, aunque puede hacerse por parejas. Uno de los movimientos, "empuje con las manos", requiere que una persona empuje o guíe las manos de otra que mantiene los ojos cerrados.

Existen numerosos cursos en libros y vídeos, pero la mejor manera de

3 *Adelante el pie derecho y apoye el peso del cuerpo sobre él. Cruce las manos, con la palma izquierda hacia fuera y la palma derecha hacia dentro.*

4 Con el peso sobre el pie derecho y el cuello y espalda rectos, levante los brazos hacia delante con las palmas de las manos hacia el suelo.

5 Bascule el peso sobre el pie izquierdo. Acerque los brazos hacia el cuerpo hasta que queden a la altura de la cintura con las palmas hacia abajo.

aprender t'ai chi es asistiendo a clase. Aunque los ejercicios son sencillos, es mejor que nos enseñen su secuencia. Los ejercicios que se ilustran aquí pretenden dar una idea de los movimientos básicos. La ropa debe ser suelta —lo ideal es un chándal— y los zapatos planos o los pies descalzos.

Después de un calentamiento, el maestro enseñará la "forma corta", que consiste en 37 movimientos que se realizan en unos 10 minutos. La "forma larga" requiere unos 20-40 minutos y consta de 108 movimientos.

El t'ai chi resulta difícil de aprender al principio porque hay que memorizar los movimientos, pero se consigue con práctica. Al igual que el yoga, las clases son relajadas y el maestro explicará la filosofía detrás de cada movimiento. Cada ejercicio comienza y termina con unos segundos de inmovilidad.

El t'ai chi no se domina en unas cuantas semanas. Puede requerir meses, o incluso todo un año, para alcanzar un buen nivel. Sin embargo, con un buen maestro, se experimentan sutiles beneficios tras unas pocas lecciones.

El t'ai chi, como parte de la medicina tradicional china (MTC), considera la mente, el cuerpo y el espíritu como un todo. Un cambio positivo en uno de los tres afectará a los demás. De manera que la buena postura, los músculos relajados y la respiración profunda necesaria para realizar los movimientos aliviarán el estrés y los problemas asociados, como tensión, dolores de cabeza y ansiedad. La concentración y la disciplina necesarias para recordar la forma fortalecen la mente.

La sesión de t'ai chi debe comenzar siempre con unos ejercicios de calentamiento. Así se asegura que los músculos y articulaciones estén sueltos antes de empezar. Lo mejor es practicar el t'ai chi al aire libre.

6 Mientras espira, empuje los brazos hacia el frente con las palmas levantadas y bascule de nuevo el peso sobre el pie derecho.

El qigong

Wu Chi

El wu chi, o vacío, es la clásica postura de apertura de muchas de las formas del qigong. De pie, con las rodillas un poco flexionadas y los pies separados en línea con los hombros y apuntando al frente, deje colgar manos a los lados y relaje los hombros. Por unos minutos, sienta la expansión y la contracción del abdomen al inspirar y espirar.

El qigong, sistema ancestral chino de movimiento, respiración y meditación, fortalece el qi *o esencia vital, o fuerza vital. Gong significa trabajo, de modo que el qigong es una disciplina que permite lograr el control sobre la fuerza vital.*

El qigong, o chi-kung, aspira a mantener o recuperar el equilibrio y la armonía entre cuerpo y mente. A través del qigong se puede construir el *qi* y eliminar los bloqueos que, según la medicina tradicional china (MTC), conducen a la enfermedad.

El arte del qigong tiene miles de años, pero fue prohibido durante la revolución cultural china (1965-76), seguramente por sus estrechos lazos con el arte de la guerra. En China, los guerreros siempre

se entrenaban con el qigong. A finales de la década de 1970 resurgió, y hoy en día lo practican a diario más de 80 millones de chinos.

La práctica del qigong puede reducir las pulsaciones y relajarnos, con lo que nos ayuda a respirar más eficazmente. La respiración del qigong es abdominal. Esta respiración diafragmática puede ayudar a tonificar los músculos abdominales, y también aumenta la capacidad pulmonar. El qigong también se cree que estimula el

1 *Imagine que sujeta un balón frente al pecho. Levante los brazos justo por debajo de los hombros y flexione los codos para acomodar el balón. Mantenga la postura un minuto o dos.*

2 *Levante los brazos un poco más y gire las palmas de las manos hacia fuera con los dedos sueltos y ligeramente separados. Incline un poco la cabeza hacia atrás hasta quedar mirando por el hueco entre las dos manos. Aguante la postura un minuto o dos.*

sistema inmunitario. Uno de los ejercicios de relajación, flotar sobre el suelo, es idéntico a la postura del cadáver en yoga, y resulta beneficioso para cualquiera que sufra alergias relacionadas con el estrés.

Investigaciones chinas han demostrado que las personas que practican qigong regularmente aumentan su capacidad vital forzada —el volumen de aire espirado al soltar el aire con fuerza— en más de un 16 por ciento. Los especialistas también opinan que el qigong aumenta la capacidad de absorción de oxígeno.

Lo mejor es aprender los ejercicios con un maestro cualificado, pero una vez dominados, se pueden practicar por libre. La ropa debe ser suelta y los ejercicios deben realizarse con el estómago vacío.

Lo más importante es una buena postura, que aumenta el flujo del *qi*. Las rodillas deben estar desbloqueadas y ligeramente flexionadas; el cuello y los hombros relajados y ligeramente retrasados. La cabeza debe estar suelta y en equilibrio sobre la columna, que debe estar recta, pero no rígida. Permanezca centrado y con los pies separados. Relaje el abdomen y no mueva el pecho al respirar. Los labios deben estar entreabiertos con la mandíbula relajada.

Descubrir más de

El yoga	90
El t'ai chi	92

3 *Baje los brazos con los codos flexionados y extiéndalos lateralmente con las palmas de las manos hacia abajo. Aguante así un minuto o dos.*

4 *Extienda las manos hacia delante, con las palmas enfrentadas y los dedos separados, como si sujetara un balón de fútbol. Aguante la postura un minuto o dos.*

El entrenamiento autogénico

*E*l *entrenamiento autogénico, también llamado autogénesis, consiste en una serie de ejercicios mentales que, si se practican a diario, pueden generar una profunda relajación. Esto a su vez favorece el bienestar físico y mental.*

La autogénesis funciona mejor si alguien le enseña para que luego practique en casa. Al igual que otras terapias alternativas, la autogénesis no trata un problema concreto sino que lleva al organismo a un estado de autocuración.

Procedente del griego, "generado en el interior", la autogénesis fue desarrollada por el psiquiatra y neurólogo alemán doctor Johannes Schultz hace 75 años. Utilizando sus conocimientos sobre hipnosis, e influido por las ideas de su colega Sigmund Freud, creó seis ejercicios verbales silenciosos, los cuales fueron perfeccionados por sus discípulos, sobre todo por el doctor Wolfgang Luthe, quien introdujo el método en Estados Unidos y Canadá. La autogénesis se practica en todo el mundo y existen dos centros de investigación: el Instituto Schultz en Berlín y el Instituto Oskar Vogt en Japón.

La autogénesis es una mezcla de autohipnosis, afirmaciones positivas y profunda relajación. Se caracteriza por la repetición de seis ejercicios básicos; por una actividad mental conocida como concentración pasiva en la que se cultiva una actitud relajada y despreocupada de los resultados; y por la práctica de diversas posturas destinadas a evitar distracciones.

Practicado correctamente y con regularidad, conduce a un estado alterado de la conciencia, similar al de la hipnosis. Las ondas cerebrales se ralentizan y se produce un aumento de las ondas alfa, características durante el descanso. Como todas las técnicas de meditación, la autogénesis permite dirigir la atención al interior proporcionándole tiempo al cuerpo y la mente para que se recuperen y se reparen.

Acudir a un especialista

Necesitará acudir a una o dos sesiones, particulares o en grupos de hasta seis personas, para aprender la autogénesis. Primero le harán unas preguntas sobre su historial clínico y estilo de vida y luego le pedirán que se tumbe. Cada ejercicio está orientado a la relajación de una parte del cuerpo, y a lograr la calma mental.

El primer ejercicio se concentra en la pesadez de las extremidades. Levantará el brazo derecho y repetirá en silencio "Mi brazo derecho es muy pesado", y luego con el resto de las extremidades. El segundo ejercicio se centra en el calor de las extremidades. Repetirá "Mi brazo está

Descubrir más de

Soluciones al estrés 58

La autohipnosis 102

Para realizar correctamente la visualización, hay que pensar en una imagen que nos convenga. Por ejemplo, el asmático puede imaginarse en la ladera de una montaña, respirando aire puro, y alguien con eccema puede visualizarse mientras se baña en un mar de aguas cristalinas y frescas.

muy caliente"; el tercer ejercicio relaja el latido del corazón, el cuarto relaja la respiración, el quinto calienta el plexo solar y el sexto enfría la frente. A través de estas repeticiones, se alcanza un estado meditativo de concentración pasiva en la que se estimulan los mecanismos autodefensivos del cuerpo.

La modificación autogenética es un estado más avanzado que permite concentrarse en determinadas partes del cuerpo. Los asmáticos, por ejemplo, pueden repetir: "Mis senos nasales están fríos y mi pecho caliente". La siguiente etapa es la meditación autogénica, en la que se utilizan visualizaciones para acompañar las repeticiones.

La visualización

El poder creativo de la imaginación se conoce desde hace cientos de años. San Ignacio de Loyola apremiaba a sus seguidores a que imaginaran eventos de la vida de Cristo para así sentirse más cerca de Dios. Las raíces de la visualización

residen en la magia, y el poder se sus técnicas era conocido por los antiguos chamanes o brujos.

La visualización se asemeja a la autohipnosis y se asocia con el entrenamiento autogénico. El concepto moderno fue desarrollado en los años 70 como una rama de la psicoterapia por el oncólogo norteamericano Carl Simonton y su esposa, la psicóloga Stephanie Matthews-Simonton. Utilizaron esta técnica para ayudar a enfermos de cáncer que debían imaginarse que su cáncer era destruido por su sistema inmunitario y los tratamientos.

Los Simonton aseguraban que sus pacientes vivían más que aquellos que no utilizaban técnicas de visualización y muchos oncólogos las han incorporado en los tratamientos contra el cáncer. La visualización se emplea actualmente con muchos fines: estimular la confianza, prepararse para una actividad competitiva, mejorar la motivación, liberar el estrés y luchar contra enfermedades.

La meditación

Practicada regularmente, la meditación conduce a la relajación total. Sentarse en silencio y respirar suavemente parece sencillo, pero requiere una disciplina interna que puede resultar difícil al principio, aunque merece la pena insistir.

La filosofía tras la meditación es que, si logramos sentarnos en silencio y excluir todo pensamiento durante unos 20 minutos, la mente se libera y automáticamente pasa a un estado de mayor felicidad y plenitud. La mente liberada supera el proceso del pensamiento y nos deja en un estado de completa quietud.

Al relajarnos por completo, la tensión baja y la sensación de salud y bienestar aumenta. La respiración y el pulso bajan, los músculos se relajan y disminuyen los niveles de las hormonas y demás sustancias relacionadas con el estrés. Se modifican hasta las ondas cerebrales.

Muchos asmáticos, y sobre todo los que sufren un problema de piel, como eccema, encuentran alivio. Diversos estudios sobre la meditación trascendental respaldan científicamente estas evidencias. En un estudio llevado a cabo a principios de la década de 1970, 21 pacientes anotaron sus hábitos de meditación, síntomas de asma, medicación y su estado general a lo largo de seis meses. Al final del estudio, los pacientes habían mejorado su función pulmonar y manifestaban menos síntomas. La mayoría sentía alivio de su asma.

Cómo meditar

Lo ideal es meditar 20 minutos dos veces al día, a primera hora de la mañana y de la noche. Se puede aprender por sí mismo a través de libros y vídeos, pero es más sencillo aprender con un maestro. Apaciguar la mente puede resultar difícil, y la disciplina de formar parte de un grupo puede ser algo enormemente beneficioso. Muchas personas descubren que concentrarse en un objeto, tal como una vela, o en la repetición de un mantra numerosas veces, las ayuda a evitar que la mente se disperse.

• Lleve ropa ligera y elija un lugar tranquilo para meditar. Si lo cree necesario, desconecte el teléfono. Procure adquirir la costumbre de meditar a horas determinadas, y que entre a formar parte de la rutina diaria, como lavarse los dientes.

• La posición ideal es la del loto, pero también puede arrodillarse y sentarse sobre los talones, o sentarse sobre unos cojines. Si el suelo le incomoda, siéntese

Lleve ropa cómoda y medite en algún lugar sin corrientes, ni muy frío ni muy caliente. Cerrar los ojos ayuda a evitar la distracción de los pensamientos.

sobre una silla de respaldo recto. Los hombros deben estar relajados, ligeramente inclinados hacia abajo y hacia atrás. La cabeza debe estar ligeramente inclinada hacia atrás y el peso del cuerpo descansar sobre las caderas. La espalda debe estar recta, como si un hilo tirara de nuestra coronilla hacia arriba. Las manos descansan sobre el regazo, con los pulgares tocándose, o sobre los muslos.

• Respire profundamente, y con el abdomen, mientras se concentra en el flujo de aire que pasa por la nariz.

Cuando los pulmones estén llenos, aguante la respiración unos segundos y espire lentamente. Repita 10 veces.

• Continúe respirando a través de la nariz. Concéntrese en un objeto o un mantra y, si la mente se dispersa, no se altere. Simplemente deje que vuelva a concentrarse en el objeto, mantra o la respiración.

• Tras terminar, no se levante de un salto. Dedique unos minutos a tomar nuevamente conciencia del entorno. Abra los ojos, espere un minuto, estírese y vuelva a la consciencia normal.

Descubrir más de

El yoga	*90–91*
La relajación	*102–103*
El biofeedback	*146–47*

TIPOS DE MEDITACIÓN

MEDITACIÓN BUDISTA	La meditación budista se viene practicando desde hace miles de años. No se utiliza ningún mantra sino la concentración en la respiración consciente (*anapana-sati*) y el desarrollo de amor y bondad (*metta-bhavana*) hacia las personas que nos rodean.
MEDITACIÓN TRASCENDENTAL	La popularizó en la década de 1960 el yoghi hindú Maharishi Mahesh, y se practica cada vez más para aliviar el estrés, siendo cada vez más aceptada en círculos médicos. Más de cuatro millones de personas en el mundo practican la meditación trascendental. Durante el curso, se le concederá un mantra o palabra sin sentido, cuya repetición silenciosa induce una profunda relajación.
MEDITACIÓN CON MANTRA	Consiste en meditar sobre una palabra o una frase sencilla. Se puede elegir una, o recibirla como en la meditación trascendental. Puede significar algo agradable, como "amor" o "paz", o no tener significado. El mantra más conocido es "Om", la palabra más sagrada para los hindúes. Debe repetirse regularmente y en silencio mientras se medita.
MEDITACIÓN CON VELA	Se puede meditar con una vela encendida, un cristal o un icono. Es una meditación conocida como *tratak*, en la que se contempla el objeto durante un minuto, centrándose en su textura, forma y color, y luego se cierran los ojos y se visualiza. Lo ideal es que esté situado a la altura de los ojos y a un metro de distancia. Cuando la imagen se difumine, abra los ojos y vuelva a contemplar el objeto.
ORACIÓN	Repetir una oración con la ayuda de un rosario es otra forma de meditación.

La relajación y la autohipnosis

La verdadera relajación es complicada, pero merece la pena aprenderla. Si la mente no está en calma, gran parte de la tensión se acumulará en el cuerpo. Es importante reconocer esa tensión, ya que la relajación no sólo alivia el asma o los síntomas de alergia, sino que ayuda a hacer frente a un ataque.

Muchas imágenes mentales pueden ayudar en la autohipnosis, pero las que mejor funcionan son las que obligan a "contar": un tramo de escaleras, una calle bordeada de árboles o las vías del tren.

Relajarse no consiste en tumbarse frente al televisor o disfrutar de una copa de vino, aunque ambas sean actividades agradables. La verdadera relajación se logra con la profunda rendición de los músculos mientras la mente permanece alerta, aunque pasiva. La mayoría no somos conscientes de lo tensos que estamos frente al ordenador, o incluso el televisor. Bajo presión, los músculos se tensan, los hombros duelen y se pueden experimentar palpitaciones y respiración superficial.

Podemos hacer muchas cosas para relajarnos: reducir los estimulantes como café, té y tabaco y pasarnos a las infusiones; o perfumar el aire con aceites esenciales, por ejemplo de lavanda; o escuchar música relajante. El ambiente debería suscitar sentimientos de satisfacción.

Dedicar un rato al día a desconectar no sólo relaja sino que vigoriza enormemente. No nos damos cuenta de lo tensos que estamos hasta que nuestros músculos se relajan. La ropa debe ser suelta y debemos elegir una alfombrilla sobre el suelo, pero no la cama, por el peligro de quedarnos dormidos.

Existe una gran similitud entre la relajación profunda y la meditación. Diversos estudios demuestran que distintos tipos de meditación, yoga y relajación producen efectos similares. El doctor Herbert Benson, fundador del Instituto sobre el cuerpo y la mente de la Universidad de Harvard, ha estudiado la meditación y la relajación durante 30 años y ha identificado un estado mental, que denomina la respuesta de relajación, que puede revertir los efectos físicos dañinos del estrés.

Esta respuesta puede provocarse a través de la meditación, o de posturas chinas como el qigong y el t'ai chi, pero no hace falta aprender antiguas filosofías para relajarse. La relajación se puede lograr con ejercicio, o con una tarea repetitiva como tricotar, o simplemente sentándose a contemplar la puesta de sol. Sea cual sea la técnica elegida, se desconecta lo que el doctor Benson llama "mente de simio", el interminable charloteo que pasa por la mente como una interferencia de radio.

El metabolismo, ritmo cardíaco, respiración y cerebro se ralentizan. La tensión disminuye, los músculos se relajan y la mente y el cuerpo bajan de revoluciones. Al relajarnos y liberar la tensión, la respiración se vuelve automáticamente más profunda.

Conseguir la respuesta de relajación

• Repita una palabra o frase corta. Debería ser algo laico, como mar o amor, o algo religioso, o alguna otra oración.
• Siéntese cómodamente y cierre los ojos.
• Respire lentamente mientras repite la palabra o frase.
• A medida que los pensamientos atraviesen por su mente, deje que se

marchen y vuelva a la repetición. No permita que la ansiedad lo domine.

• Continúe durante 10-20 minutos y abra lentamente los ojos. Espere unos minutos antes de ponerse en pie.

• Practique dos veces al día.

Autohypnosis

Cualquiera puede aprender esta técnica, aunque lo mejor es que la enseñe un hipnoterapeuta cualificado. Puede que descubra que una sesión de hipnosis alivia las alergias, y al final del tratamiento, el hipnoterapeuta le enseñará la autohipnosis para reforzar las sugestiones que le ha introducido durante la sesión.

Estas técnicas son similares a las de autosugestión y visualización en las que uno se imagina que cada día se encuentra mejor. Algunas personas temen perder el control y quedarse atrapadas en un estado hipnótico, empezar a comportarse extrañamente o se incapaces de responder ante una emergencia, como un incendio. Pero no son más que mitos.

A través de la hipnosis, aunque se trate de una autohipnosis, el control nunca se pierde y se puede salir del estado hipnótico a voluntad. Lejos de perder el control, la autohipnosis es una forma avanzada de autocontrol al ser la misma persona el hipnotizador y el hipnotizado.

• Túmbese en un lugar cómodo, sobre un sofá o en el suelo, y respire con normalidad, relajándose lentamente.

• Imagine que baja un largo tramo de escaleras, o pasea por una avenida bordeada de árboles mientras los va contando. Con cada paso que da, entrará más profundamente en un estado de trance.

• Disfrute de la relajación y repita palabras claves, en función de la alergia. Las autosugestiones pueden acompañarse de una imagen. Por ejemplo, si tiene la piel caliente y le pica, puede visualizarse revolcándose en hierba fresca y mojada.

• Deben intercalarse pensamientos positivos, como "Me siento rebosante de salud" o "Cada día, mis síntomas mejoran más y más".

• Cuando esté preparado para abandonar el estado hipnótico, revierta la imagen utilizada para llegar hasta allí. Camine de vuelta por la avenida arbolada hasta llegar a la puerta, ábrala y despierte mientras cuenta de 10 a cero.

Descubrir más de

Soluciones al estrés	*58*
La meditación	*100*

La relajación implica aprender a evitar pensamientos que agraven nuestro nivel de estrés. Tumbarse cómodamente a escuchar música puede ayudar a desconectar pensamientos inquietantes y beneficia al cuerpo y la mente.

La aromaterapia

Los aceites esenciales, como los de rosa o lavanda, se destilan de distintas partes de la planta, incluyendo las hojas y las flores.

El vaporizador calienta el aceite para que libere su aroma en el aire.

Deliciosamente relajante, la aromaterapia es ideal para problemas relacionados con el estrés, como migrañas, ansiedad e insomnio. También para problemas digestivos y dolores musculares, el síndrome premenstrual, y problemas premenopáusicos. Los aromaterapeutas afirman que también es buena para la piel.

El poder de los aceites perfumados para calmar y sanar se conoce desde hace siglos. El químico francés René-Maurice Gattefossé fue el primero en utilizar el término "aromaterapia", en la década de 1920.

Existen unas 400 esencias de plantas, cada una de las cuales posee unas determinadas propiedades curativas. Los aceites esenciales se extraen de las flores, hojas, semillas, raíces y tallos de árboles y plantas aromáticas mediante destilación con vapor. Están muy concentrados y pueden hacer falta cientos de kilos de una planta para obtener un litro de aceite esencial, lo que explica su precio y que se venda en pequeñas cantidades, normalmente en frascos de vidrio.

Los aceites esenciales son masajeados sobre la piel, inhalados en infusión o rociados en un baño. Los aceites penetran en el torrente sanguíneo a través de la nariz o la piel y producen la curación.

Cómo funcionan

Los aceites esenciales funcionan de dos maneras. Cuando se masajean sobre la piel, alcanzan rápidamente el torrente sanguíneo y, según los estudios, los efectos se notan a los 20 minutos. Un masaje corporal completo conseguirá unos efectos más rápidos que una inhalación.

Además, el fuerte aroma estimula el olfato, que a su vez afecta a la parte del cerebro conocida como sistema límbico, implicado en las emociones y estados de ánimo. El olfato es el más primitivo de los sentidos y la mayoría sabemos que los olores olvidados, y reencontrados, nos traen un torrente de recuerdos.

Acudir al aromaterapeuta

La aromaterapia puede practicarse en casa, pero es aconsejable consultar a un profesional. Los aceites esenciales puros nunca deben aplicarse directamente sobre la piel, porque son puros y muy fuertes, de modo que el terapeuta mezclará unas cuantas gotas en una cucharadita de aceite vehicular, como aceite de almendra o de pepita de uva. El terapeuta seleccionará los aceites adecuados, o nos pedirá que los elijamos nosotros.

El masaje se basa en las técnicas suecas y estimulará los sistemas circulatorio y linfático, además de soltar los músculos tensos. Después, nos sentiremos totalmente relajados. No oleremos a perfume, ya que se habrá absorbido, ni sentiremos la piel grasienta.

Utilización de los aceites

Aparte de utilizarse en el masaje, los aceites pueden añadirse al baño; 5 gotas deberían bastar. También podemos preparar una infusión con 3-4 gotas de aceite en un cuenco con agua caliente. Se cubre la cabeza y se respiran los vapores durante unos 5 minutos.

ACEITES ESENCIALES DE UTILIDAD

ACEITE ESENCIAL	USO
CAYEPUTI	Infecciones respiratorias, incluidas catarro, tos, sinusitis y garganta irritada.
CAMOMILA	Alergia, calambres menstruales y estomacales, irritación o inflamación de piel.
CANELA	Tonifica los sistemas circulatorio, respiratorio y digestivo.
CITRONELA	Eficaz repelente de insectos.
GERANIO	Calma la piel. Indicado para piel seca, grasa o con problemas.
JENGIBRE	Fortalece el sistema inmunitario; bueno contra la indigestión y las náuseas.
LAVANDA	Mordeduras, picaduras, quemaduras, eccema, asma, insomnio.
MELISA	Estrés, migrañas y asma nerviosa.
MIRRA	Problemas respiratorios crónicos, infecciones de boca y garganta.
MENTA	Náuseas, indigestión, diarrea, flatulencia, dolor de cabeza, congestión nasal.
ROSA	Ansiedad, depresión, estrés, desarreglos menstruales, cuidados de la piel, sobre todo la madura.
SÁNDALO	Infecciones urinarias y de garganta, estrés, deficiencia inmune, piel seca.
ÁRBOL DEL TÉ	Infecciones respiratorias y de piel, mordeduras y picaduras de insectos, tos, resfriados, catarro, problemas ginecológicos.

Atención
• Nunca deben ingerirse los aceites esenciales; pueden ser letales. Manténganse fuera del alcance de los niños.
• Nunca aplicar un aceite esencial puro cerca de los ojos.
• Algunos aceites cítricos, en combinación con la luz solar, son fototóxicos: sensibilizan la piel contra la luz. Los siguientes aceites no deben aplicarse sobre la piel antes de un baño solar: verbena, bergamota, naranja, limón o cualquier otro aceite cítrico. En caso de hacerlo pueden salir manchas de quemaduras que no se quitarán.
• Si está embarazada, consulte a un aromaterapeuta cualificado; algunos aceites no son adecuados.
• Si sufre asma severa, no reciba un masaje de aromaterapia sin consultar con el médico.
• Si padece tensión alta, diabetes, epilepsia o alguna irritación de piel, como dermatitis por contacto, consulte a un aromaterapeuta antes de aplicarse ningún aceite esencial.

Terapias administradas por un especialista

Si sufre alguna enfermedad crónica y grave, como asma, eccema o la enfermedad celíaca, lo más sensato es acudir a un especialista que compruebe los síntomas y haga un diagnóstico de lo que falla.

Los médicos convencionales se centran en la enfermedad, pero la medicina alternativa es más holística y el especialista prestará la misma atención al estado mental, emocional y espiritual que a los síntomas. Los especialistas alternativos intentan encontrar el motivo de la enfermedad y nos harán una serie de preguntas sobre nuestra vida emocional, el trabajo, la dieta y los hábitos de sueño, temas a los que los médicos suelen prestar poca atención. Se debe a que las terapias alternativas, sobre todo las aplicadas por un especialista, se basan en dos teorías. La primera es que cuando confluyen las circunstancias adecuadas, como una buena dieta, un entorno limpio, aire fresco y ejercicio, el organismo tiende hacia la curación y la buena salud. El segundo concepto es el de la energía, centro de la mayoría de las terapias alternativas. En la medicina tradicional china se denomina *qi*, en la medicina japonesa es *ki* y en la filosofía hindú, *prana*. Los homeópatas y los naturópatas hablan de una "fuerza vital". El especialista alternativo determinará el estado energético del paciente y si está estancado o bloqueado intentará restablecer sus niveles saludables a través de la manipulación, el masaje o las agujas.

La medicina occidental tiende a considerar esta energía sólo a nivel físico, pero los científicos han descubierto que puede ser manipulada y pasar de una persona a otra. Esto explicaría las terapias que desafían a la lógica, como la sanación.

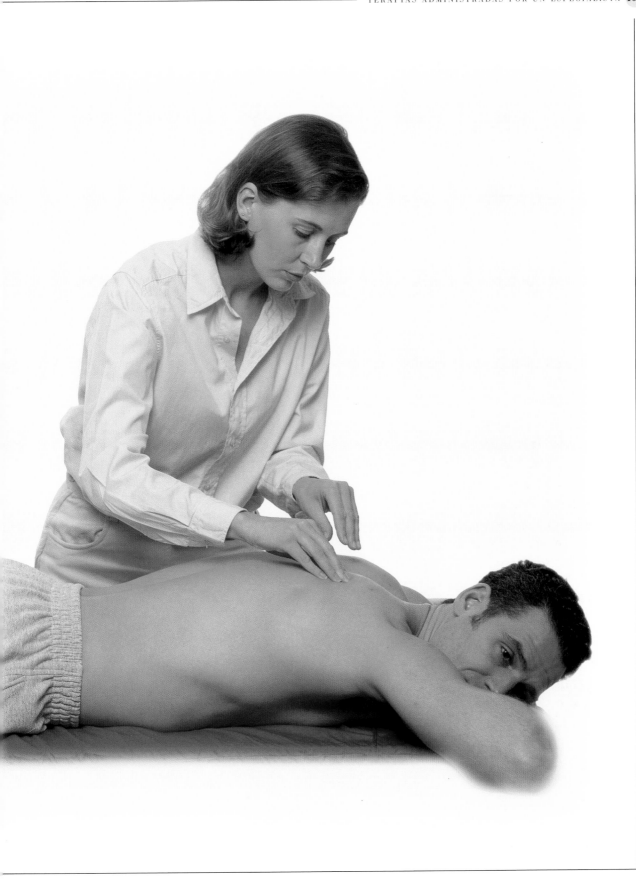

La acupuntura y la acupresión

La acupresión, tratamiento utilizado en la medicina tradicional china (MTC), implica la aplicación de presión sobre determinados puntos del cuerpo para mejorar el flujo del qi. *La acupuntura aplica agujas a los mismos puntos.*

El primer libro de texto de medicina sobre la acupuntura fue el *Nei Ching* (*Clásico de medicina interna del Emperador Amarillo*), publicado entre los años 300 y 100 a.C., pero existen evidencias arqueológicas de que la acupuntura se practica en China desde al menos 3.500 años. Allí todavía se practica junto con la medicina convencional y es cada vez más popular en Occidente.

La filosofía detrás de la MTC

El médico convencional se concentrará en la enfermedad o la parte enferma del cuerpo, pero un especialista de MTC contempla al paciente holísticamente, teniendo en cuenta su estado mental, físico y emocional, además de los síntomas específicos.

La medicina china afirma que el cuerpo posee una red de vías invisibles, meridianos, por las que discurre el *qi*, una forma de energía, fuerza vital o aliento sutil. El concepto de una energía vital que lo impregna todo es fundamental en la medicina oriental que afirma que, siempre que esa energía fluya libremente, la persona permanecerá sana. Cuando la energía se estanca o adormece, se bloquean los meridianos y caemos enfermos. Para una salud perfecta, hace falta una armonía física y mental.

Igualmente importante es la creencia de que el *qi* no sólo debe estar equilibrado en el cuerpo, sino también en armonía con las energías del universo.

La acupuntura tiene en común con otras terapias orientales el objetivo de estimular la liberación de energía para restaurar el equilibrio del sistema mediante el desbloqueo de los meridianos. En acupuntura, esto se consigue mediante agujas colocadas en puntos específicos a lo largo de los meridianos. En otras terapias, se consigue a través de la presión con los dedos o el masaje corporal. Existen 365 puntos de acupuntura.

El *qi* sólo es fuerte —y, por tanto, el individuo sano— si el yin y el yang, dos fuerzas opuestas, están en equilibrio. El yin representa el lado sombreado de la montaña y simboliza la oscuridad, pasividad, frialdad, humedad, inferioridad y negatividad. El yang es el lado soleado de la montaña y simboliza el calor, la luz, actividad, lo positivo y la expresividad. Una de las principales tareas del terapeuta

Mediante la inserción de finas agujas en determinados puntos, el acupuntor intenta restaurar el flujo de energía del cuerpo hasta su estado sano y natural.

MOXIBUSTIÓN

La moxibustión se emplea para calentar el qi y se aplica cuando existe una deficiencia en el yang. La técnica implica colocar un pequeño cono, o moxa, de artemisa, o una rodaja de jengibre, sobre el punto de acupuntura. El cono se enciende y se lo deja quemar hasta que la piel esté caliente. Se repite varias veces sobre el mismo punto. También se puede encender el cono y sujetarlo sobre la piel sobre el punto de acupuntura.

Descubrir más de

La fitoterapia china   112
La elección del especialista 150

en MTC consiste en observar la relación entre el yin y el yang para realizar los ajustes que logren la armonía.

La sesión de acupuntura

La primera sesión dura alrededor de una hora y el terapeuta anotará los síntomas, el historial médico, el estilo de vida y la dieta. No debería realizar ejercicio, comer copiosamente, beber alcohol ni ducharse o bañarse justo antes o después de una sesión.

Para diagnosticar la enfermedad, el acupuntor emplea las cuatro examinaciones clásicas chinas: tocar, mirar, oler y preguntar. El lustre del cabello, el brillo de los ojos y la palidez de la piel son tan importantes como el historial médico. La lengua será examinada: si está sano, debería estar rosa y húmeda con poco o ningún recubrimiento.

El acupuntor también tomará el pulso de ambas muñecas. Existen seis pulsos en cada muñeca, correspondientes a los meridianos, y pueden tener hasta 28 cualidades. El acupuntor le pedirá que se tumbe cómodamente sobre una camilla y le colocará las agujas en determinados puntos a lo largo del meridiano elegido. El acupuntor manipulará las agujas, que serán retiradas de inmediato o pasados unos minutos. Existen casos de irritación en la piel causada por las agujas y de sangrado al retirarlas.

Existen evidencias de que la acupuntura puede aliviar los síntomas del asma y aumentar las defensas contra las alergias. Muchos terapeutas afirman que en tratamientos de problemas de piel, como el eccema, el éxito ronda el 80 por ciento.

LAS AGUJAS DE ACUPUNTURA

Las agujas de acupuntura son de acero inoxidable, generalmente desechables, y recubiertas de acero o cobre. Su longitud varía y son tan finas que no se siente nada cuando son insertadas. Las agujas pueden hundirse pocos milímetros, o hasta 12 cm. Dado que los puntos de acupuntura no suelen estar cerca de los huesos, cuanto más profundo esté el hueso, más se hundirá la aguja. El acupuntor podrá retirar la aguja de inmediato o dejarla hasta 20 minutos, y en ocasiones la girará. Si las agujas se insertan correctamente no se debería sentir dolor, pero sí puede producirse cierta incomodidad.

La acupuntura y la acupresión

Acupresión

La acupresión es la acupuntura sin agujas. El terapeuta utiliza sus dedos pulgares, manos, pies y codos para estimular los puntos de acupuntura y proporcionar salud y bienestar.

La acupresión es habitual en Asia y cada vez más popular en Occidente. Las técnicas varían de un país a otro. El masaje completo de acupresión china se denomina tuina, y el masaje japonés, parecido al chino, es el shiatsu. El sistema más antiguo es shen tao, en el que el terapeuta aplica una ligera presión con la punta de los dedos. Todos los masajes de acupresión, sin embargo, se centran en estimular la energía del cuerpo a través de la presión sobre los puntos de acupuntura, que actúan como las válvulas del *qi*.

Los problemas musculoesqueléticos, el estrés, los trastornos digestivos, la ansiedad, la migraña y el colon irritable, además de las alergias y problemas emocionales, se benefician de la acupresión. Ésta estimula el sistema inmunitario y favorece la liberación de endorfinas, el analgésico natural del organismo.

Para recibir un masaje de shiatsu contra el asma, le pedirán que se tumbe. El terapeuta empezará presionando sobre el esternón, entre los pezones, con una mano y justo debajo del ombligo con la otra.

Autotratamiento con acupresión

• Para evitar las náuseas, presione un punto a 5 cm por debajo del hueco de la muñeca, entre los dos tendones. Evita los vómitos postoperatorios y las náuseas tras la quimioterapia.

• Para reducir una reacción alérgica, estire el brazo y presione el hueco interior del codo. O flexiónelo y coloque el pulgar en el hueco interior del codo. Una vez localizado este punto, estire y flexione el brazo para estimularlo.

Shiatsu

"Masaje con los dedos" en japonés, el shiatsu estimula la fuerza vital, o *qi*, que fluye por los meridianos.

Aunque se desarrolló en Japón en el siglo XX, el shiatsu tiene sus orígenes en un antiguo masaje japonés denominado *anma*, que consistía en presionar y frotar las manos y los pies con los dedos y las palmas de la mano. Se utilizó inicialmente para problemas específicos, pero gradualmente se convirtió en una forma de relajación. En Japón se utiliza junto con la medicina occidental.

El especialista en shiatsu aplica presión sobre los puntos de acupuntura (*tsubos*) para reequilibrar el *qi* y favorecer la salud, además de tratar problemas concretos. El *qi* puede estar hiperactivo o bloqueado (*jitsu*) o agotado (*kyo*), lo que se traduce en falta de energía y mala salud. El terapeuta aspira a equilibrar el *jitsu* y el *kyo* del cuerpo.

El shiatsu es bueno para problemas musculoesqueléticos, sobre todo de la zona lumbar y el cuello, y alivia la rigidez y tensión muscular. Ayuda a estimular la circulación. Su eficacia en casos de asma, ansiedad, reumatismo, insomnio, menstruaciones dolorosas, depresión y fatiga es bien conocida.

Acudir a un especialista

El día de la sesión deberá evitar el alcohol, comer ligero y no ducharse ni tomar un baño caliente. La ropa deberá ser ligera y suelta, y de algodón. Los especialistas en shiatsu trabajan sobre una esterilla o futón en el suelo.

El terapeuta aplicará los cuatro métodos orientales de diagnóstico —escuchar, observar, tocar y oler— y le hará preguntas sobre su trabajo, vida, dieta y enfermedades, pasadas o presentes, y le tomará el pulso al modo tradicional chino. Al presionar suavemente sobre el *hara*, en la parte baja del abdomen, determinará el flujo del *qi* en los meridianos y órganos internos.

El tratamiento se aplica de cuatro formas: estirando y apretando para romper bloqueos energéticos; presionando en determinados ángulos para aumentar el flujo sanguíneo; balanceando para contrarrestar las agitaciones en el flujo energético; y presionando a lo largo de los

meridianos, o sobre puntos específicos, para estimular el flujo energético.

El shiatsu no es doloroso, pero los puntos de acupuntura donde la energía está bloqueada pueden estar sensibles.

Al final de la sesión, debería sentirse revitalizado, aunque relajado. También se pueden experimentar reacciones de "sanación" durante un día, al liberarse toxinas y emociones.

Descubrir más de

Los masajes	*138*
La reflexología	*144*

ATENCIÓN

- *La acupuntura practicada de forma incorrecta puede causar daño. Acuda a un terapeuta cualificado.*
- *Evite terapias de presión si sufre osteoporosis.*
- *Comunique al terapeuta si está embarazada, o si sufre un problema crónico como asma, hipertensión, trombosis, epilepsia, venas varicosas, cáncer o sida.*

La presión sobre el punto Lu 1 —entre el pecho y el hombro— es muy beneficiosa para los pulmones (izquierda). El terapeuta podrá estirarle el cuerpo para abrir el meridiano de pulmón y aplicar presión a lo largo del interior del brazo (derecha).

La fitoterapia china

La medicina convencional puede en ocasiones curar una enfermedad grave, como el cáncer, pero contra un problema crónico, como el eccema, resulta menos eficaz. Podrá mantener a raya los síntomas, pero a menudo a costa de efectos secundarios. Si el eccema está en el rostro, donde no se pueden aplicar esteroides, la medicina convencional tiene poco que ofrecer.

Los remedios herbales chinos se encuentran en diversas formas, incluidas tinturas, píldoras, polvos y hierbas.

Cada cultura y raza posee su propia fitoterapia. Las evidencias físicas de la utilización de plantas por parte del hombre nos sitúan en un cementerio neardenthal de hace 60.000 años, descubierto en 1960.

La fitoterapia china forma parte de la medicina tradicional china (MTC) y se practica desde hace más de 5.000 años. Al igual que un acupuntor intentará estimular el *qi* con agujas, el fitoterapeuta hará lo mismo con plantas. Cada planta alcanza un determinado meridiano, por donde fluye el *qi*. Algunas plantas tonifican y fortalecen el *qi*, mientras que otras mejorarán su flujo.

El *Nei Ching* (*Clásico de medicina interna del Emperador Amarillo*), escrito hace unos 2.500 años, es el primero y más importante documento que señala los principios de la MTC. Narra una conversación, entre el Emperador Amarillo y su ministro, Qi Bo, sobre medicina, y destaca las teorías del yin y el yang, de los meridianos y los cinco elementos. Todavía se considera un libro imprescindible para el estudio de la medicina en China.

Algunas de las primeras descripciones de remedios herbales chinos datan del siglo III y se encuentran en *Shen Nong Bencaojing* (*Clásico de raíces y plantas de Shen Nong*). Narra la historia del Emperador Yen (Shen Nong), quien probó diversas hierbas —incluso las venenosas— y transmitió sus descubrimientos verbalmente de generación en generación.

En la China moderna coexisten la MTC y la medicina occidental, y algunos médicos están cualificados en ambas medicinas y practican las dos.

En China se han llevado a cabo estudios exhaustivos sobre la fitoterapia

TRATAR A LOS NIÑOS

Los niños y los bebés pueden ser tratados con fitoterapia china. Al ser los bebés muy sensibles a los medicamentos, su enfermedad puede mejorar espectacularmente con pequeñas dosis de plantas. Los especialistas deberían seguirlos de cerca para valorar sus progresos. Las plantas pueden mezclarse con miel o zumos para que resulten más aceptables para un bebé.

china y sus especialistas afirman su excelencia para problemas digestivos, como el síndrome del colon irritable; enfermedades respiratorias, como bronquitis crónica, rinitis alérgica y asma; y en casos como el del síndrome de fatiga crónica. Utilizan plantas que eliminan la toxicidad, y muchos tónicos ausentes en la medicina moderna.

La fitoterapia china es muy eficaz para curar el eccema, con la ventaja de no producir efectos secundarios. Tras estudiar los informes de un médico chino de Chinatown, en Londres, que describía sus éxitos con los problemas de piel, el jefe de dermatología del hospital Royal Free de Londres llevó a cabo un estudio con 37 niños aquejados de eccema severo y atópico. Cada uno recibió una mezcla de 10 plantas chinas cuya fórmula pertenecía al especialista chino, Dr. Ding-Hui Lou.

El 60 por ciento de mostró una mejora significativa sin efectos secundarios. La misma mezcla fue administrada a adultos con dermatitis, y ellos también experimentaron mejoría. No es de extrañar que la fitoterapia china sea cada vez más popular en Occidente, ni que muchas personas aquejadas de enfermedades crónicas acudan a estos especialistas.

Acudir al especialista

La primera sesión durará una hora y le diagnosticarán mediante las cuatro vías tradicionales: observar, escuchar, oler y tocar.

El especialista se interesará por los síntomas, el historial médico, el estilo de vida y la dieta, y querrá conocer detalles como su grado de ansiedad, tensión o estrés. Observará el tono de su piel, la postura, examinará la lengua, escuchará

su voz y le preguntará si siente frío, si suda mucho o si siente dolor de cabeza o de algún otro tipo. Como en todos los diagnósticos de MTC, el especialista le tomará el pulso en ambas muñecas.

Una vez diagnosticado su estado, le preparará una mezcla de hierbas. Existen 3.500 hierbas chinas, todas importadas de China o Hong Kong. La mayoría de los especialistas utilizan unas 300. No son la clase de hierbas que tenemos todos en el especiero de la cocina. Seguramente recibirá una bolsa con 10 o 15 hierbas, semillas, cortezas, flores, frutos, raíces y minerales mezclados.

Con ellas, deberá preparar un *tang*, un té hecho tras cocer y recocer las hierbas. Deberá beber el líquido resultante un par de veces al día, normalmente antes de las comidas, durante unos cuantos días. El sabor será característico y, mientras algunas personas lo encontrarán agradable, a otras les parecerá repulsivo.

Cada hierba posee una función específica y juntas actúan para restaurar la salud y el bienestar. Determinar la proporción exacta es un arte difícil de aprender, y en China hacen falta 50 años para convertirse en maestro herborista. El especialista también prescribirá remedios como pastillas, tónicos, pastas, ungüentos, cremas y lociones.

El objetivo del herborista es fortalecer el *qi*, no sólo internamente sino también externamente, y fortalecer el organismo para hacer frente a los factores externos. En la medicina occidental, se denominaría fortalecer el sistema inmunitario.

Descubrir más de

La acupuntura	*108*
La fitoterapia	*116*
La medicina ayurvédica	*120*

En la MTC, tomar pulso es una técnica diagnóstica sofisticada y sutil. Es algo bastante más complejo que en la medicina occidental.

La mayoría de los remedios chinos, como el ginseng, derivan de las plantas, pero otros son de origen animal o mineral.

La fitoterapia china

Los remedios herbales chinos se elaboran según fórmulas prescritas por los terapeutas en función de la necesidad individual del paciente.

Asma

En medicina china, el asma se considera una alteración del *qi* provocada por un exceso de flema, que puede ser debida a muchas causas, sobre todo a una debilidad de riñones, pulmones y bazo. En la MTC, la flema obedece a una falta de armonía en los fluidos corporales que puede bloquear las funciones tanto físicas como emocionales. El terapeuta prescribirá un tónico renal, pulmonar o para el bazo. La efedra y la almendra amarga ayudan a detener las sibilancias.

Un exceso de flema también puede deberse a una dieta pobre y con exceso de alimentos "pegajosos", como chocolate, queso, leche y otros productos lácteos. La alimentación irregular también aumenta la producción de flema. Comer mucho antes de irse a dormir, por ejemplo, impide al sistema digestivo funcionar correctamente, y saltarse una comida debilitará el estómago.

Eccema

Se asocia con pulmón, estómago, corazón y sangre. Según los especialistas en MTC, existen varios tipos de eccema. Uno es aquel en que la piel arde, está húmeda y con picor. Otro es el provocado por calor en la sangre, y la piel estará roja, seca y con picor. Un tercer tipo es causado por el "viento" y la piel estará llena de ampollas. El tratamiento dependerá del tipo de eccema. El ajenjo oriental o la genciana, raíz de peonía o *Rumania* china, se utilizan para los causados por el "viento".

Ansiedad

En la MTC, la ansiedad se considera a menudo un desequilibrio entre bazo e hígado. La angélica y el ginseng chino fortalecen el bazo y mueven la energía hacia el hígado.

HIERBAS CHINAS TONIFICANTES

Ginseng

Es el rey de las hierbas tonificantes. Existen dos tipos, el rojo o coreano y el blanco. Este último se utiliza como tónico contra la fatiga y la debilidad y puede

PRECAUCIONES CON LAS HIERBAS CHINAS

Es importante acudir a un especialista cualificado para que prescriba y suministre las hierbas. También se aconseja asegurarse de que el especialista pertenece a una organización seria para asegurar que:

• Los productos herbales empleados sean auténticos y sin contaminar. Las hierbas chinas pueden contener metales venenosos, como plomo, y/o medicamentos convencionales, como paracetamol.

• Las hierbas no estén adulteradas con sustancias provenientes de animales en peligro de extinción, como cuerno de rinoceronte, hueso de tigre y bilis de oso. Esta práctica es ahora ilegal y los especialistas honrados no trabajan con estas sustancias.

• Nunca se debe comprar una hierba china por correo. Sólo debe adquirirse cuando en el envase indique claramente lo que contiene.

• Hay que buscar consejo médico antes de tomar alguna hierba china en caso de embarazo o algún antecedente de enfermedad hepática.

• Si se siente mal, deje de tomar las hierbas o pastillas de inmediato, informe al terapeuta que le proporcionó el remedio, y a su médico.

Descubrir más de

La acupuntura	108
La fitoterapia	116
La medicina ayurvédica	120

Las diferentes hierbas de clasifican como frías, frescas, templadas, calientes o neutrales según el modo en que alteren el equilibrio del qi en el cuerpo. El sabor y olor de una hierba también es importante.

ayudar en casos de insomnio. El ginseng rojo es un poderoso tónico. Es bueno contra catarros, mala circulación y falta de aire. También se indica en casos de emergencia, contra una conmoción.

Estudios científicos sugieren que el ginseng estimula el sistema inmunitario y la función cerebral. Aunque se encuentra fácilmente, es mejor consultar a un especialista antes de probarlo. No se debe tomar ginseng si se sufren palpitaciones, tensión alta o dolores de cabeza frecuentes.

Jengibre

Esta raíz afecta a los meridianos de estómago, bazo y pulmón. Se emplea contra náuseas y vómitos, catarro común, y para desintoxicar el organismo. También se usa en moxibustión, colocando el moxa sobre una rodaja de jengibre, y quemándolo hasta alcanzar la rodaja.

El jengibre se emplea por sus propiedades caloríficas. Además de alimento, puede prepararse en cataplasma caliente para aplicar directamente y así expulsar el frío de los órganos internos.

La fitoterapia occidental

La utilización de hierbas, flores y plantas para curar y sanar es la forma de medicina más antigua que existe. Se practica en todo el mundo y a menudo pasa de generación en generación. En el año 450 a.C., Hipócrates, el "padre de la medicina moderna", recomendaba senna como laxante, y aún hoy se prescribe para lo mismo.

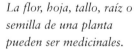

En la Edad Media, la fitoterapia estaba rodeada de supersticiones y se asociaba a la brujería, de modo que recibía las críticas de la Iglesia. Pero en China, India y Sudamérica floreció, y cuando los europeos llegaron a América, añadieron los remedios de los nativos norteamericanos a sus conocimientos sobre plantas y se crearon escuelas de fitoterapia. En 1653, Nicholas Culpeper publicó *English Physician and Complete Herbal*, el primer libro de fitoterapia en inglés.

Hasta hace un siglo, todas las medicinas se obtenían de las plantas, pero a medida que avanzaba la medicina moderna y la fabricación de drogas sintéticas, la fitoterapia cayó en desuso y se tachó de medicina "popular". Aun así, muchos medicamentos modernos se basan en plantas, como la aspirina, que procede de la corteza del sauce.

Existen miles de plantas y hierbas a elegir, pero la mayoría de los especialistas utilizan unas 200. Se describen según sus efectos o acciones sobre el organismo, en otras palabras, lo que consiguen que haga el cuerpo. Algunas, como el olmo escocés, poseen propiedades astringentes. Otras, como la valeriana, son sedantes, mientras

La flor, hoja, tallo, raíz o semilla de una planta pueden ser medicinales.

CASO CLÍNICO

Mary, de 60 años, es asmática desde los 20, pero la medicación de rescate le provoca tos, aunque no puede pasar sin ella. Controlaba los síntomas con esteroides, pero notó que cada vez necesitaba más cantidad para controlar el asma. Sabía que a su edad, el asma sólo empeoraría.

"Me sentía muy mal por no poder controlarla. Mi nuera, que es enfermera, sugirió que visitara a un fitoterapeuta, y decidí intentarlo. La terapeuta es muy minuciosa. Me toma la tensión, me ausculta y habla conmigo antes de preparar mi medicamento. Cambia la composición en función de mi estado. Tomo una cucharadita de la mezcla en agua caliente, tres veces al día.

Estoy segura de que funciona. Me siento mucho más fuerte y no me quedo sin aire con tanta facilidad. No he suprimido los esteroides, pero ya no utilizo el inhalador. Antes lo necesitaba, a pesar de que me producía tos. La fitoterapia es un complemento a mi medicación; mi asma es demasiado grave para que sustituya a mis medicinas".

Descubrir más de

La fitoterapia china   *112*

La homeopatía   *122*

Antes del desarrollo de los medicamentos modernos elaborados en laboratorio, casi todas las medicinas se extraían de las plantas.

que otras, como la genciana, estimulan la digestión.

Un remedio puede contener docenas de hierbas y funcionar en pocos días, aunque los problemas crónicos tardan más en tratarse. Debería notarse una mejoría en pocas semanas. Puede que el terapeuta le recomiende una dieta que incluya fruta fresca, verdura y alimentos integrales.

La fitoterapia puede emplearse para tratar cualquier problema, pero sobre todo es buena para problemas de piel, como eccema y psoriasis; relacionados con el estrés, como migrañas; alteraciones digestivas, o infecciones respiratorias, garganta irritada y resfriados. Muchos remedios herbales se prescriben para mejorar el equilibrio fisiológico en el cuerpo.

Aunque un medicamento de síntesis puede contener los mismos principios activos que una planta —algunas medicinas para el corazón se fabrican con digital, proveniente de la dedalera— tendrá efectos secundarios. Según los fitoterapeutas, los remedios que utilizan toda la planta no producen efectos secundarios pues las sutancias del resto de la planta equilibran los componentes más potentes. Los medicamentos modernos sólo contienen un componente.

Acudir al especialista

La primera sesión es la de mayor duración, alrededor de una hora, y el fitoterapeuta le pedirá detalles de su historial médico, dieta, trabajo, estado emocional y mental, y estilo de vida. Luego se centrará en la existencia o no de estrés en su vida.

Los fitoterapeutas diagnostican según la medicina occidental: toman el pulso, la tensión, comprueban las glándulas del cuello y auscultan el pecho con un estetoscopio, igual que un médico convencional.

Los remedios de plantas pueden prepararse en forma de cremas y ungüentos que se aplican externamente. Son absorbidos por la piel y entran en el torrente sanguíneo.

La fitoterapia occidental

Tipos de remedios herbales

Las hierbas pueden prescribirse de distintas formas:

• Píldoras, cápsulas y polvos.

• Tés y tisanas.

• Tinturas —extractos concentrados de hierbas en una solución de agua y alcohol.

• Jarabes —la planta se hierve en agua y se le añade azúcar como conservante.

• Infusión —similar al té. Se dejan reposar 2 cucharaditas de planta seca, o hasta 4 de planta fresca, en agua hervida, durante 10 minutos. Se cuela y se añade miel o azúcar.

• Ungüentos o cremas aplicados tópicamente.

• Decocciones —la planta se hierve en agua y se deja que se concentre.

• Supositorios o enemas.

• Cataplasmas.

• Baños herbales.

• Esencias —una mezcla de esencias herbales que se quema para luego inhalarla.

Remedios específicos

Algunas plantas son beneficiosas para determinados problemas. Las siguientes podrían serles de utilidad.

• La hierba de San Juan (*Hypericum perforatum*) ha demostrado científicamente su eficacia contra la depresión leve.

• El ajo es utilizado por los fitoterapeutas para tratar la hipertensión, el asma y la artritis. Alrededor de 30 estudios científicos demuestran que un diente de ajo al día (o su equivalente en cápsulas) disminuye el colesterol en un 10-15 por ciento. Al ser antibiótico, el ajo es bueno contra el resfriado, la tos, la sinusitis y los problemas digestivos.

• La menta contiene mentol, que relaja el músculo intestinal. Se utiliza en caso de síndrome del colon irritable.

• *Echinacea purpurea* estimula el sistema inmunitario y aumenta la resistencia a resfriados e infecciones víricas.

Para preparar una decocción, añada las hierbas, secas o frescas, al agua y deje que hiervan hasta que el líquido se reduzca. Cuele el caldo y elimine las hierbas.

• El aloe vera se prescribe en caso de colon irritable.

• La camomila calma el malestar de estómago, facilita la digestión y es un excelente sedante.

• La valeriana reduce la tensión y la ansiedad.

• El hongo maitake (*Grifola frondosa*) se comercializa en cápsulas y estimula el sistema inmunitario.

Eccema

• La caléndula (*Calendula officinalis*) es uno de los mejores remedios en caso de eccema, quemaduras y heridas. Añadir 2 tazas de agua hirviendo a 28 g de pétalos de caléndula y dejar en remojo 5 minutos. Colar y beber. También se puede comprar en crema.

• El álside también se utiliza en caso de eccema y otros problemas de piel con picor.

Alergias

• El tomillo silvestre es un potente agente antibacteriano. Se recomienda para casos de alergias, problemas digestivos y artritis.

• El hisopo es eficaz contra la fiebre del heno y el asma, además de resfriados y tos. No debe tomarse en caso de embarazo.

• La infusión de ortiga es eficaz en algunas reacciones alérgicas.

• El malvavisco y el olmo rojo calman el intestino y pueden suavizar los síntomas de los celíacos. Las plantas antiinflamatorias, como la camomila y la reina de los prados, también ayudan.

• El álsine o la camomila, en infusión tomada fría, alivian el picor de la urticaria.

Asma

Una infusión de euforbia mezclada con tomillo ayuda a relajar los espasmos pulmonares y a soltar las flemas.

Descubrir más de

La fitoterapia china	*112*
La homeopatía	*122*

Preparar una infusión es tan sencillo como hacer un té. Lo ideal es una jarra con filtro para separar la planta del líquido.

ATENCIÓN

No *todas las plantas son inocuas. El chaparral, recomendado contra el cáncer y el acné, la raíz de consuelda y el tusilago han sido prohibidos porque contienen sustancias tóxicas en potencia. El yohimbe, vendido como afrodisíaco, y* Ma huang, *utilizado en el control de peso, pueden ser dañinos. Ma huang, procedente de China, es la fuente de la efedrina, utilizada en medicamentos contra el asma, bronquitis y enfisema. Sólo debe tomarse bajo supervisión de un fitoterapeuta o médico cualificado.*

• *Adquiera los remedios herbales en tiendas especializadas, como farmacias, herbolarios o supermercados. Algunas pastillas pueden estar contaminadas con pesticidas, fertilizantes y metales pesados, como plomo o mercurio.*

• *Nunca recolecte las plantas en el campo.*

• *Si está embarazada o dando de mamar y quiere tomar algún remedio herbal, consulte antes al médico o farmacéutico. Algunos remedios herbales no deberían tomarse durante el embarazo.*

• *Si es alérgico al veneno de las abejas, puede que sufra una reacción alérgica a la jalea real. Si es alérgico al marisco, cualquier cosa que contenga mejillón podría provocarle una reacción.*

La medicina ayurvédica

Practicada sobre todo en la India, Ayurveda es un ancestral sistema de medicina holística. Es una combinación de meditación, yoga, astrología, fitoterapia, masaje y dieta que estimula la salud física, emocional, espiritual y mental.

El término "Ayurveda" procede de dos palabras en sánscrito, *ayur*, o vida, y *veda*, o conocimiento. Por tanto, significa la ciencia de la vida. Apareció por primera vez en los textos védicos, escritos por los santones hindúes alrededor del año 2500 a.C., pero se cree que Ayurveda surgió hacia el 5000 a.C., siendo la medicina más antigua del mundo. Ayurveda se conoce poco fuera de Asia y las comunidades asiáticas, pero es parecida a la medicina tradicional china, y tan comprensible.

Se practica extensamente en Sri Lanka y la India —en la India existen 400.000 especialistas en Ayurveda— y en toda Asia los médico la practican junto con la medicina occidental y la homeopatía.

En Occidente, y sobre todo en Estados Unidos, se practica fundamentalmente en los centros Maharishi Ayur-ved, creados por los seguidores del yoghi Maharishi Mahesh, quien fundó el movimiento de meditación trascendental. Sin embargo, en países con una considerable inmigración asiática, como el Reino Unido, existen numerosos especialistas cualificados en Ayurveda.

Los dosha

Los especialistas ayurvédicos afirman que todos los seres vivos incluyen cinco elementos —fuego, agua, tierra, aire y éter— que son convertidos por el *agni*, o fuego digestivo, en tres *dosha*, o energía vital, que influyen tanto en el bienestar como en el temperamento.

Los dosha son sensibles a la dieta, el estrés, la hora del día y la época del año. Los desequilibrios impiden el flujo de *agni* y de *prana*, el aliento vital, que entra en el cuerpo a través de la comida y la respiración. Además, la tercera fuerza primaria, *soma*, manifestación del amor y la armonía, también puede verse alterada. Las plantas y las dietas especializadas restablecen el equilibrio.

Los dosha están formados por dos de los cinco elementos. El aire y el éter forman *vata*; *pitta* está formado por fuego y agua, y *kapha* por agua y tierra. Los dosha se alimentan de comida, bebida, aire fresco, ejercicio y actividad espiritual. La actividad de *vata*, *pitta* y *kapha* es, respectivamente, más fuerte al amanecer, al mediodía y por la noche.

Acudir a un especialista

La primera visita durará alrededor de una hora y le harán preguntas sobre su estilo de vida, la dieta, las relaciones laborales y la familia. Le tomarán el pulso en tres puntos de cada muñeca, y examinarán los ojos, la lengua y las uñas en busca de señales de desequilibrio en los dosha y de toxinas. El especialista también estudiará la forma de su cuerpo y deducirá a qué dosha pertenece.

Si está lo bastante fuerte, el tratamiento comenzará con un régimen de desintoxicación, la base de la medicina ayurvédica. Se denomina *shodan* y puede incluir enemas, purgantes, laxantes y lavados nasales, además de una dieta y saunas.

La dieta es un elemento importante en la medicina ayurvédica. El especialista le recomendará los alimentos más adecuados para su dosha y que corregirán cualquier desequilibrio constitucional.

También puede recibir *marma*, un masaje terapéutico a base de aceites o punciones de *marma*. Según la filosofía ayurvédica, el cuerpo tiene 107 puntos vitales, o *marma*, que se corresponden con órganos o funciones. Al estimular estos puntos, ya sea mediante masajes o agujas, como en la acupuntura, se genera salud y bienestar.

Para un masaje *marma*, el especialista presionará profundamente partes de la espalda, cuello, piernas, brazos y manos para desbloquear los marma. Si están despejados, la persona permanecerá equilibrada y sana.

Las medicinas se preparan a partir de plantas con cortezas, raíces, frutos, hojas y, a veces, semillas. Los minerales, las conchas marinas, las sustancias animales y los metales también se emplean. Un problema de salud asociado a un exceso de flemas, como el catarro o la retención de líquido, por ejemplo, será tratado con alimentos cálidos, ligeros, secos, y con ayunos y evitando bebidas frías que incrementen *kapha*.

Los remedios herbales pueden incluir especias picantes, como canela o cayena; amargas, como cúrcuma; tónicos picantes, como azafrán; y hierbas estimulantes, como la mirra, todas diseñadas para limpiar el exceso de agua o flemas. El sabor también es importante en Ayurveda.

Puede que el especialista también sugiera *rasayana*, un programa rejuvenecedor de yoga, cánticos, meditación y baños de sol. Durante los primeros meses, tendrá que acudir al especialista cada dos semanas y después, una vez al mes.

Beneficios

Ayurveda es eficaz con los problemas de piel, como eccema, acné y psoriasis; con problemas relacionados con el estrés, como migrañas y fatiga; con indigestiones, colon irritable, úlceras de estómago y otros problemas digestivos.

Descubrir más de

El yoga	90
La meditación	100
La fitoterapia china	112

Las especias amargas reducen kapha, *y la dieta debería favorecerlas frente a las dulces, saladas o ácidas.*

Tipo	Características	Problemas	Alimentos a evitar	Alimentos para tomar
VATA	• Creativo • Activo • Inquieto	• Artritis • Problemas musculoesqueléticos • Reglas irregulares	Alimentos crudos.	Alimentos húmedos y calientes, como guisos de puchero.
PITTA	• Ambicioso • Emotivo • Inteligente	• Acidez estomacal • Migrañas • Alergias	Alimentos ácidos, salados, picantes y carnes rojas.	Alimentos dulces, astringentes y fríos, como pollo, pescado, ensaladas y tofú.
KAPHA	• Feliz • Pacífico	• Resfriados • Falta de apetito • Alergias	Dulces, verduras jugosas.	Alimentos calientes y picantes. Manzanas y peras. Verduras de hoja. Judías.

La homeopatía

La palabra "homeopatía" procede del griego homoios (similar) y pathos (sufrimiento, enfermedad), y se basa en el principio de que "semejante cura a semejante". Es decir: las sustancias que provocan determinados síntomas en personas sanas, son eficaces en las personas enfermas que sufren esos mismos síntomas.

El homeópata puede prescribir un único remedio o varios mezclados en una misma píldora.

El doctor Samuel Hahnemann, médico alemán, estableció los principios de la homeopatía a finales del siglo XVIII y es considerado el padre de la homeopatía. Hahnemann dedicó su vida a estudiar una gran cantidad de sustancias animales, vegetales y minerales. Convocó a voluntarios sanos sobre los que probar estas sustancias antes de hacerlo sobre los enfermos. Entre 1790 y 1805, probó 60 remedios.

La homeopatía es muy distinta de la medicina ortodoxa, orientada a suprimir el síntoma. En caso de insomnio, por ejemplo, un médico recetará pastillas que provoquen artificialmente sueño. Sin embargo, un homeópata hará justo lo contrario y recetará cantidades minúsculas de una sustancia, como el café, que en grandes dosis mantiene despierto. En caso de fiebre del heno,

recetará un remedio elaborado con una gran variedad de polen.

Las reacciones experimentadas por los voluntarios sanos han sido documentadas en los manuales de homeopatía, el más conocido de los cuales es *Homeopathic Materia Medica* (1811) de Hahnemann.

La dilución homeopática

Los remedios se elaboran a partir de plantas y minerales triturados y sumergidos en alcohol y agua durante varias semanas antes de filtrarlos para obtener la "tintura madre", la cual es entonces diluida a escala decimal, cuyo factor de dilución es 1:10, o a escala centesimal, cuyo factor de dilución es 1:100. Entre ambas diluciones se agita rápidamente la tintura (sacudimiento). Esto se hace porque Hahnemann

Muchos remedios homeopáticos se basan en plantas como la cinchona.

TIPOS CONSTITUCIONALES

El tipo constitucional no varía a lo largo de la vida. Las personas se clasifican según el remedio que mejor funciona para ellas. Existen muchos tipos diferentes. A continuación se describen los más comunes:

• El tipo Nux vomica es impaciente, hipersensible y muy excitable, con una ira interior reprimida. Son propensos a problemas relacionados con el estrés, como insomnio, ardor de estómago, colon irritable e indigestión.

• El tipo Pulsatilla es amable, emotivo y amante, pero propenso a las infecciones. En el caso de las mujeres, son frecuentes los problemas menstruales.

• El tipo Merc. Sol es introvertido, irascible y propenso a problemas respiratorios.

• El tipo Apis es inquieto, impredecible y caprichoso. A menudo sufren estallidos de ira. Son propensos a las erupciones y poseen una piel caliente, seca y sensible.

descubrió que, si agitaba vigorosamente el remedio, parecía aumentar su poder. Igualmente, cuanto más diluido esté el remedio, más fuerte y eficaz resultará. Diluciones de una parte por billón aún parecen funcionar.

El proceso de diluir un remedio se conoce con el nombre de potenciación y significa que venenos como la belladona, el arsénico y la estricnina (obtenida a partir de *Nux vomica*), que deberían ser mortales, pueden tomarse con tranquilidad.

Acudir a un especialista

Como todas las terapias alternativas, la homeopatía es un sistema holístico que trata a toda la persona, no sólo su enfermedad. Mientras que un médico convencional sólo diagnostica y trata los síntomas específicos que señalan hacia una determinada enfermedad, los homeópatas tratan las afecciones antes de que se manifiesten, cuando únicamente se siente fatiga o decaimiento.

Los especialistas son médicos formados en técnicas homeopáticas, u homeópatas sin cualificación médica. Los homeópatas también pueden ser "clásicos" o "complejos".

Un homeópata clásico utiliza una única dosis del remedio que se adecue al tipo constitucional del paciente (*véase* página anterior). Requiere una gran habilidad y puede ser necesario acudir al especialista varias veces antes de obtener el remedio adecuado.

Los especialistas complejos buscan las causas orgánicas de los síntomas y no la personalidad o el tipo constitucional. Al encontrar un remedio para los síntomas individuales específicos, los

homeópatas afirman manipular los patrones energéticos para producir salud.

Los remedios homeopáticos pueden tener origen animal, como el veneno de serpiente (*Lachesis*), de abeja mielera (*Apis*), o de valva de ostra (*Calcarea carbonica*); origen vegetal, como la dedalera (*Digitalis*); o mineral, como el nitrato de plata (*Argent nit*), o el cloruro de sodio (*Nat mur*). Encontrar el remedio exacto para los síntomas depende de la habilidad del terapeuta.

Los remedios se prescriben en forma de pastillas, tinturas, polvos o gránulos, que deben ingerirse entre comidas. No se debe beber o comer nada hasta pasados 20 minutos de la ingestión del remedio. La mayoría de los homeópatas sugieren un tratamiento a la sexta potencia, equivalente a una pizca de sal en una bañera de agua.

Los homeópatas distinguen entre enfermedad aguda y crónica, como el asma y el eccema. Las enfermedades crónicas se consideran un problema constitucional y suelen recibir un único remedio. El homeópata le aconsejará evitar el café, los cigarrillos, la menta y preparaciones que incluyan mentol, eucalipto y alcanfor ya que pueden bloquear la acción del remedio. Los remedios deben almacenarse en un lugar fresco y oscuro.

Puede que la mejoría se note de inmediato, o puede requerir varios meses. Algunas personas sienten que los síntomas empeoran inicialmente. Puede que aparezca un sarpullido, o un resfriado. Se denomina el "agravamiento inicial" y es una señal de que el medicamento funciona.

Descubrir más de

La fitoterapia china — 112
La fitoterapia — 116

La dedalera es la fuente del digital, utilizado en medicina moderna como estimulante cardíaco.

Existen más de 3.000 remedios entre los que puede elegir el homeópata.

La osteopatía y la quiropráctica

La osteopatía y la quiropráctica se desarrollaron a finales del siglo XIX. Su éxito se debe al tratamiento de dolores de espalda, cuello y otras alteraciones musculoesqueléticas. Actualmente son aceptadas por la medicina convencional.

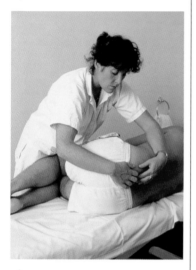

La osteopatía trata la enfermedad manipulando músculos y articulaciones.

En el tratamiento del asma, la osteopatía y la quiropráctica se centran en el alivio del estrés y la tensión mediante el equilibrado o realineamiento de la columna. También suelta los músculos que, a su vez, mejorarán la función pulmonar.

Tanto la osteopatía como la quiropráctica son profesiones muy respetadas y en muchos países sus especialistas están registrados como cualquier otro profesional de la salud. En Estados Unidos, Australasia y Europa actúan junto con la medicina convencional.

La quiropráctica

Los especialistas opinan que las anomalías de las articulaciones y músculos se deben al estrés, a malas posturas y a accidentes. Con sus manos manipulan articulaciones y músculos para aliviar el dolor y mejorar la movilidad. La palabra "quiropráctica" proviene del griego, *cheiro*, o manos, y *praktikos*, o practicar.

Fue desarrollada en 1895 por David Daniel Palmer, un tendero y "colocador de huesos" canadiense. Probó sus teorías con el empleado de su tienda, sordo tras sufrir una lesión de espalda 17 años antes. Palmer encontró una vértebra dislocada en su espalda, la cual manipuló, logrando la recuperación, inesperada, de la audición del empleado.

La teoría tras la técnica de Palmer es que pequeños desplazamientos de la columna pueden irritar los nervios, lo que a su vez provoca alteraciones en el sistema nervioso y, finalmente, una enfermedad. Los quiroprácticos opinan que muchos males comienzan en la columna. Si las vértebras están mal alineadas o mal ajustadas ("subluxadas"), no sólo comprimen los nervios y provocan dolor, sino que también interfieren en la "inteligencia innata", o fuerza vital, del organismo.

Los terapeutas sostienen que al ajustar estas articulaciones o subluxaciones, la quiropráctica actúa sobre el sistema nervioso. En consecuencia, la quiropráctica puede ejercer un efecto muy positivo sobre problemas cuyo origen no es musculoesquelético en origen, como el asma y el colon irritable.

Palmer fundó el Instituto de enfermería y quiropráctica Palmer en Iowa, y la profesión creció rápidamente, extendiéndose por Estados Unidos y de ahí a Australia, Nueva Zelanda y Europa.

VARIEDADES MÁS SUAVES

Dos quiroprácticos ingleses, John McTimoney y Hugh Corley, desarrollaron dos variantes de la quiropráctica clásica: quiropráctica McTimoney y McTimoney-Corley.

La quiropráctica McTimoney se desarrolló en los años 1950 y sus técnicas de colocación son más suaves y con menos movimientos bruscos, siendo adecuada para personas mayores y para aquellas a las que no les gustan las sacudidas de la quiropráctica clásica.

Los especialistas en McTimoney utilizan una manipulación rápida de las articulaciones "salten" a su posición. Apenas se siente dolor. Los quiroprácticos McTimoney también tratan problemas musculoesqueléticos en animales. Corley se formó con McTimoney y desarrolló su propia técnica empleando sólo las puntas de los dedos.

Acudir al especialista

El osteópata o quiropráctico elaborará un historial médico que incluirá cualquier accidente, incluso los menores, que pueda haber sufrido en el pasado. Se interesará por su estilo de vida y observará su postura y manera de caminar, y le pedirá que se desvista para observar el funcionamiento de los músculos y la columna.

El especialista palpará la columna, presionando cada vértebra hasta descubrir cuál es la más dolorosa. Le pedirá que coloque los brazos a los lados del cuerpo y que levante las piernas, y luego que se incline, para comprobar si le provoca dolor en la columna. El quiropráctico también puede hacerle radiografías, medir su tensión arterial y comprobar sus reflejos.

Los quiroprácticos suelen disponer de divanes especiales donde colocan al paciente para manipularlo con el mínimo dolor al tumbarse y levantarse. Utilizan unas 150 técnicas y trabajan sobre la piel, los músculos y el tejido conectivo para estirar y relajar los músculos. También emplean rápidas sacudidas para ajustar articulaciones, sobre todo del cuello y la zona lumbar, que repetirán dos o tres veces en cada sesión.

Las sacudidas rápidas no son dolorosas, pero inevitablemente se escuchará un crujido. Lo producen las burbujas de gas del fluido que rodea las articulaciones al estallar bajo presión. La sacudida es breve y precisa, y requiere un gran dominio por parte del quiropráctico. Muchas personas manifiestan sentirse "liberadas" y revitalizadas tras el tratamiento.

La quiropráctica se utiliza sobre todo para tratar el dolor de cuello, espalda (sobre todo la zona lumbar) y brazos; dolores de cabeza y migrañas debidas a la tensión; problemas de articulaciones; lesiones deportivas de rodilla, tobillo, manos y pies. Los quiroprácticos sólo tratan ocasionalmente enfermedades orgánicas como el asma, el colon irritable, la migraña y las cefaleas, y las menstruaciones dolorosas. Eso no quiere decir que el asma no responda bien a una manipulación; cualquier cosa que libere el pecho y favorezca una buena postura puede aliviar los síntomas del asma.

Descubrir más de

Los masajes   *138*
La elección del especialista   *150*

La manipulación del cuello y la cabeza son habituales en el tratamiento quiropráctico.

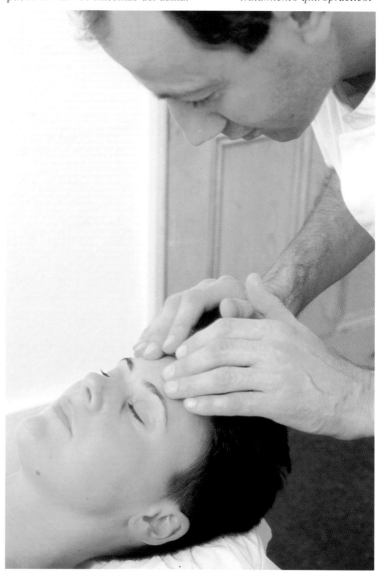

La osteopatía y la quiropráctica

La osteopatía

La palabra "osteopatía" proviene de los términos griegos: *osteo* (huesos) y *pathos* (enfermedad). Como en la quiropráctica, el especialista manipula y ajusta los huesos, articulaciones, músculos, ligamentos y tejido conectivo para generar bienestar.

Con sus manos, el osteópata trata todo el cuerpo, incluyendo la espalda, cabeza, muñecas, hombros, codos, rodillas, tobillos y pies. La osteopatía se parece en muchas cosas a la quiropráctica, pero los osteópatas se ocupan más del alineamiento de la columna y se concentran más en técnicas sobre los tejidos blandos para relajar los músculos.

Otra diferencia es que los quiroprácticos utilizan radiografías para diagnosticar los problemas, mientras que los osteópatas se basan en su conocimiento del cuerpo humano para detectar la disfunción y la inmovilidad.

Andrew Taylor Still, doctor e ingeniero norteamericano, fundó la osteopatía en 1874. Estaba destrozado por la pérdida de su esposa y tres de sus hijos en una epidemia de meningitis y no comprendía por qué los médicos no habían logrado salvarlos. Empujado por la tragedia, empezó a estudiar el cuerpo humano y acabó convencido de que nunca podría funcionar bien si presentaba algún problema estructural.

Persona muy religiosa, pensaba que el hombre había sido creado a imagen y semejanza de Dios, y que si el cuerpo era devuelto a su diseño original, con el reajuste osteopático, la fuerza vital sanadora natural del cuerpo le devolvería la salud.

La idea que subyace tras el tratamiento es que la enfermedad no se

Los osteópatas aplican las mismas técnicas a niños que a adultos, pero el tratamiento suele ser mucho más suave.

LA OSTEOPATÍA PEDIÁTRICA

Los osteópatas prefieren la denominación osteopatía "pediátrica" en lugar de craneal que, según ellos, puede confundirse con la terapia craneosacral que no es una auténtica osteopatía.

Según los terapeutas, el origen de muchos problemas infantiles puede encontrarse en dislocaciones sufridas durante el parto y que pueden desembocar en alteraciones nerviosas y problemas de comportamiento. Cuanto antes pueda poner el osteópata sus manos sobre un bebé, antes se resolverá el problema. Los osteópatas pretenden reequilibrar el cuerpo para permitir que el niño aproveche sus propias fuerzas vitales.

Los terapeutas tratan todas las partes del cuerpo, no sólo la cabeza, pero cuando un osteópata trata a bebés y niños, la manipulación es más suave y apenas utilizan sacudidas bruscas como con los adultos.

desarrolla en aquellas partes donde la sangre circula adecuadamente. Sin embargo, cuando ésta empieza a retenerse, se vuelve "agria" y le sigue la enfermedad. No trata únicamente problemas musculoesqueléticos sino también tuberculosis, piedras de bilis, epilepsia y tumores. En 1892 abrió una escuela de osteopatía en Kirksville, Missouri, y dejó escritas sus técnicas en *The osteopathic blue book*.

Acudir a un especialista

La osteopatía y la quiropráctica coinciden en muchos aspectos del tratamiento, y en una serie de técnicas diagnósticas: medir la tensión arterial y los reflejos, hacer radiografías y observar la postura.

Sin embargo, un osteópata prestará especial atención a la simetría del cuerpo. Comparará la longitud de ambas piernas y examinará las caderas para ver si se inclinan o no hacia un lado. Le pedirá que se tumbe sobre un diván y durante gran parte de la sesión trabajará sobre la piel, los músculos y el tejido conectivo, mientras le obliga a cambiar de postura.

Las técnicas empleadas por un osteópata comprenden masajes para relajar músculos tensos; estiramientos para mejorar la movilidad de las articulaciones; y manipulaciones con sacudidas rápidas que devuelven la facilidad de movimientos. En ocasiones, el especialista empleará técnicas indirectas que implican ligeros contactos y suaves colocaciones de las articulaciones para reducir la tensión y restaurar el equilibrio.

Puede que sea suficiente con una sesión para restaurar la salud, pero si el problema es crónico, necesitará algunas más. Lo normal son entre tres y seis sesiones, y muchas personas acuden a una sesión de puesta a punto cada pocos meses.

¿Para quién es?

La osteopatía se utiliza sobre todo para tratar problemas musculoesqueléticos, y la mitad de los pacientes que acuden al osteópata lo hacen por dolores de espalda, tanto crónicos como agudos, en los que esta técnica ha logrado grandes éxitos. Sin embargo, los osteópatas afirman que también son capaces de aliviar problemas como bronquitis, estreñimiento y tensión premenstrual. La osteopatía también fortalece el sistema inmunitario. En caso de asma, el osteópata podrá aliviarlo con sus manipulaciones al abrir el pecho, estirar el diafragma y mejorar la postura.

Osteopatía craneal

Disciplina relacionada, aunque independiente, desarrollada en la década de 1950 por William Gardner Sutherland, osteópata americano, que estudió con Andrew Still. Se especializó en los huesos craneales, separados en el bebé, pero soldados en el adulto, y descubrió que estos huesos seguían teniendo alguna capacidad de movimiento en los adultos, y que si se ejercía presión sobre ellos, se lograban fuertes reacciones físicas y emocionales.

Sutherland desarrolló una teoría según la cual el fluido cerebroespinal fluye en pulsaciones rítmicas. Con una suave manipulación del cráneo se puede descubrir cualquier irregularidad en estas pulsaciones y restablecer el ritmo natural del flujo.

Descubrir más de

Los masajes   138
La elección del especialista 150

La técnica Alexander

La técnica Alexander es similar al yoga, t'ai chi y qigong por la necesidad de un maestro que enseñe las posturas, pero, una vez aprendidas, pueden incorporarse a la vida diaria.

La técnica Alexander fue inventada por un actor australiano, Frederick Matthias Alexander, nacido en Tasmania en 1869. El estrés de las actuaciones afectó a su voz y, a menudo, apenas podía terminar un recital. Los médicos le aconsejaban que "descansara" la voz, pero no servía de nada.

Alexander inventó una técnica que curó su problema de voz. Además, comprobó que las posturas también parecían mejorar su mal humor y lo convertían en una persona más positiva y agradable.

Llegó a la conclusión de que la cabeza, el cuello y la columna están interconectadas y que lo que se hace con una afecta a todas las demás y a la salud de todos los órganos.

La importancia de la postura

La mayoría de los adultos tienen muy mala postura, y muchos vicios se remontan a la infancia. Los niños son educados para cepillarse los dientes y ponerse bien los zapatos, pero no se presta atención a su columna.

Una mala postura no sólo sobrecarga la zona lumbar y la base del cuello, sino que debilita los músculos dorsales, aumenta la presión de las articulaciones y ligamentos, y acumula problemas futuros. Al impedir una buena respiración abdominal, la mala postura comprime los vasos sanguíneos, privando a los órganos de oxígeno y nutrientes, y el estómago y los pulmones, lo que da lugar a malas digestiones, asma y muchos otros problemas.

Acudir a un maestro de la técnica Alexander

Deberá llevar ropa suelta. El maestro observará su forma de caminar y de sentarse. Le preguntará si su trabajo es muy físico o sedentario, y si ha sufrido algún accidente en el pasado.

Una vez terminada la observación, se tumbará sobre un diván con la cabeza apoyada sobre dos o tres libros y las rodillas levantadas. El maestro "dirigirá" las extremidades, con sus manos, para que adopten una posición correcta.

Se trata de una técnica suave: el maestro se limita a apoyar sus manos sobre distintas partes del cuerpo, y es posible que le pida que ofrezca resistencia con el brazo. Cuanto más tenso esté, más difícil le resultará.

Puede que el maestro le pida que "piense" en distintos músculos. Tendrá que concentrarse en ellos y "pensar" que los tobillos y talones están clavados al suelo, o que hay un ojo en la parte superior de la cabeza que mira hacia el cielo y estira la columna.

El maestro le explicará cómo lograr una postura mejor y más natural. Tras la sesión, es normal que haya "crecido" un par de centímetros.

Túmbese en el suelo, con un par de libros bajo la cabeza y las rodillas flexionadas, durante 20 minutos. Asegúrese de que la columna está aplastada contra el suelo y "piense" en hundir la zona lumbar en el suelo. Mantenga la barbilla hacia dentro y respire con normalidad. Este ejercicio corrige cualquier curvatura exagerada del cuello y estira la columna.

LOS PRINCIPIOS ALEXANDER

Descubrir más de

El yoga	90
El t'ai chi	94
El qigong	96

Los maestros de Alexander afirman que la mala salud se debe a un "mal uso de uno mismo". Un uso adecuado, lo que Alexander llama "control primario", surge de la consciencia de cómo se sienta, mueve y mantiene uno de pie.

La mayoría de las personas se desploman al ponerse en pie, con los hombros caídos, el pecho hundido, el estómago flojo y las rodillas ligeramente flexionadas. La pelvis suele estar adelantada. Si nos piden que nos pongamos rectos, sacamos pecho, curvamos la espalda y ponemos el cuello y las piernas rígidas.

La buena postura, o control primario, implica estirar la columna hacia arriba, como si un hilo tirara de la cabeza. Los hombros y el cuello deben estar relajados, la cabeza ligeramente hacia atrás, el pecho abierto y la columna recta, nunca arqueada. Así se reduce la presión sobre el corazón, pulmones, estómago, intestinos y otros órganos.

La técnica Alexander es eficaz contra los problemas relacionados con el estrés, como ansiedad e hipertensión. La mayoría de las personas hacen todo lo más rápidamente que pueden. Se sientan y levantan deprisa, hacen varias cosas a la vez, engullen la comida de cualquier manera, y emplean una cantidad innecesaria de energía para hacer las tareas diarias.

1 *Para levantarse de una silla, empiece por deslizarse hacia el borde y coloque las manos sobre los muslos, manteniéndolas separadas.*

2 *Incline la cabeza hacia delante y hacia arriba mientras proyecta las caderas hacia delante. El peso descansa ahora sobre los pies.*

3 *Con la espalda recta y la cabeza inclinada hacia delante y arriba, mantenga las rodillas separadas mientras estira las piernas.*

La terapia nutricional

Todas las terapias alternativas resaltan la importancia de una dieta sana con mucha fruta y verdura y cereales integrales. La terapia nutricional se basa en la recomendación de determinados nutrientes, como vitaminas, minerales y aminoácidos, para curar las afecciones.

Las investigaciones demuestran que una abundante ingesta de fruta y verdura fresca —al menos cinco raciones al día— aumenta las defensas y puede proteger. frente al cáncer, la enfermedad coronaria y las cataratas. La terapia nutricional, o medicina nutricional, pretende tratar la enfermedad con vitaminas, minerales, aminoácidos y otros nutrientes, a menudo en forma de suplementos. Difiere de la naturopatía, basada en alimentos frescos, ejercicio e hidroterapia.

Los nutricionistas afirman que la dieta moderna, por equilibrada que pensemos que es, carece de nutrientes esenciales, y lo que puede ser una dieta sana para una persona no tiene por qué serlo para otra. Las enfermedades, según los terapeutas, se producen por anomalías bioquímicas y por una alteración de la normal digestión de los nutrientes. Al corregirlo con suplementos nutricionales, los síntomas pueden aliviarse.

Una dieta pobre con muchas grasas saturadas y poca fibra se relaciona con el cáncer de colon, recto, mama y próstata, mientras que una dieta con mucha fruta y verdura ha demostrado proteger al organismo de las enfermedades coronarias.

Los zumos de fruta y verdura son deliciosos y sencillos de preparar. Constituyen una excelente fuente de vitaminas y minerales.

Una dieta con mucha sal aumenta la sensibilidad a la histamina, y el alcohol constriñe los bronquios.

Los ingredientes mágicos de la fruta y las verduras son los antioxidantes —vitaminas C, E y A (betacaroteno), y minerales— que el organismo utiliza como primera línea en la lucha contra los radicales libres, subproductos del metabolismo.

Las células del cuerpo están formadas por moléculas, la mayoría de las cuales posee el mismo número de electrones, gracias a lo cual son estables. Pero los radicales libres poseen cada uno un electrón extra y recorren el cuerpo en busca de pareja, bien para robarle un electrón o para donarle el que les sobra.

La labor de los radicales libres consiste en convertir el alimento y el oxígeno en energía. En un cuerpo sano, suelen desaparecer en segundos, pero cuando se encuentran en exceso, ya sea por la edad, una enfermedad o causas externas como el humo del tabaco o la contaminación, pueden destruir lentamente el organismo, robando los electrones de las células sanas. Su actividad parece tener algo que ver con el desarrollo del cáncer y la enfermedad cardíaca, así como con los daños al sistema inmunitario.

El organismo se enfrenta a los radicales libres con su ejército de antioxidantes. Éstos también tienen electrones de sobra, que donan a las células atacadas por los radicales libres. Los antioxidantes son importantes para una buena salud, y cuanto mejor comamos, más sanos estaremos y más eficaz será nuestro sistema antioxidante. Los estudios muestran que la vitamina E y el betacaroteno reducen en un 34 por ciento la muerte por cáncer de próstata, en un 21 por ciento la del de estómago y en un 13 por ciento la del cáncer en general. Una dieta rica en antioxidantes conserva la salud y prolonga la vida de las personas mayores.

Antioxidantes

La principal fuente de antioxidantes es:
• Vitamina A (betacaroteno): tomates, zanahorias, espinacas y brécol.
• Vitamina C: cítricos, kiwi, guisantes, patatas y verduras de hoja verde.
• Vitamina E: germen de trigo, frutos secos, verduras de hoja verde, pan integral, aceites vegetales, espinacas y aguacates.
• Minerales: selenio, zinc, cobre, niacina, vitamina B_1 y B_{12}, ácido fólico, ácido pantoténico, magnesio y manganeso, todos los cuales se encuentran en frutas y verduras, vísceras, germen de trigo, pan integral, pescado azul y productos lácteos.

Acudir a un especialista

Le pedirá que complete un cuestionario sobre su salud y dieta, lo que bebe y fuma, su estilo de vida y cualquier medicación que tome. El especialista estudiará su piel, ojos y uñas, y le hará preguntas sobre su estado de ánimo y nivel de estrés.

Le diagnosticará a través del cabello, la orina o la sangre, kinesiología o una máquina Vega. Le hará excluir de la dieta el té, café, alcohol, chocolate, sal y alimentos salados, carne roja, azúcar y grasas saturadas. Puede que le ponga una dieta de eliminación para descubrir cualquier alergia alimentaria.

Con la información obtenida tras el diagnóstico, el especialista diseñará un tratamiento a su medida. Puede que le recomiende una dieta rica en un determinado nutriente, suplementado con dosis de ese nutriente en cápsulas, polvo o líquido. En algunos casos, el nutricionista le pondrá inyecciones de suplementos.

La fruta y verdura fresca, el pan integral, los aceites vegetales y el pescado azul son fuente de antioxidantes, parte importante de una dieta sana.

Descubrir más de

Alergias alimentarias	72
La fitoterapia	116
La naturopatía	132

ATENCIÓN

• *Se aconseja acudir al médico antes de iniciar un régimen de suplementos vitamínicos y minerales. Dosis excesivas de vitaminas A, D, E, B y zinc pueden ser perjudiciales.*
• *No ponga a su hijo a una dieta baja en grasa o sin azúcar. Una dieta baja en grasa, con mucha fibra y poca carne no es adecuada para niños, sobre todo menores de dos años, y puede alterar su desarrollo físico y mental. Los bebés y niños pequeños necesitan leche entera, alimentos azucarados y además suelen ser golosos; instintivamente saben lo que les conviene. Ni el azúcar ni la grasa convierten a un niño en obeso, sino el comer en exceso.*

CAPÍTULO CUATRO

La terapia nutricional

Conservar la salud

• Practique la dieta no alergénica evitando alimentos como leche de vaca, naranjas, huevos y, si es sensible a él, trigo.

• Mantenga sano a su bebé amamantándolo todo lo que pueda y evitando alimentos con frutos secos. Reduzca al mínimo la ingesta de cacahuetes mientras lo amamante.

• Tome la fruta y la verdura cruda siempre que sea posible. De lo contrario, prepárelas al vapor o salteadas, y con piel.

• Si se está medicando, tome algún suplemento antioxidante. Los fármacos aceleran la actividad hepática y le hacen trabajar más, eliminando no sólo el fármaco sino también los nutrientes.

• Evite las grasas y las dietas; suelen contener poco más que conservantes y calorías vacías. La salud decaerá si se convierten en la base de la alimentación.

• Reintroduzca los alimentos lentamente. Los cítricos, especialmente, deben ser reintroducidos uno a uno.

Suplementos útiles contra el asma y las alergias

• Magnesio: se sabe que las sibilancias se relacionan con niveles bajos de magnesio en sangre.

• Selenio: el asma está relacionada con niveles reducidos de este mineral antioxidante. En un estudio realizado, los asmáticos recibieron un suplemento de selenio y mostraron una considerable mejoría.

• Vitamina B_6: suplementos de esta vitamina alivian los síntomas del asma.

• Vitamina B_{12}: los suplementos de esta vitamina reducen los síntomas del asma. En un estudio sobre 85 pacientes, todos mostraron mejoría tras recibir una inyección semanal de 1.000 mcg de vitamina B_{12}. Cuanto más joven era el paciente, mayor era la mejoría.

• Vitamina C: suplementos elevados pueden reducir los ataques de asma. En un estudio sobre niños, los que tomaron 1 g de vitamina C al día durante dos semanas tuvieron un 25 por ciento menos de ataques que los que tomaron un placebo.

• Ácidos grasos esenciales: los estudios muestran que los ácidos grasos esenciales omega-3, presentes en el pescado azul, mejoran los síntomas de asma.

Ya sea por consejo de un nutricionista o por elaboración propia de un plan de alimentación, un suplemento mineral y multivitamínico al día le aportará todos los nutrientes necesarios.

Los medicamentos tradicionales pueden acelerar la actividad hepática. Un antioxidante contrarresta cualquier efecto negativo.

Si da de mamar, deberá tener cuidado con la dieta. Hay que evitar los frutos secos, fuente de alérgenos.

La naturopatía

La "cura de la naturaleza", o naturopatía, trata a la vez cuerpo y mente. Es una terapia que combina dieta, ejercicio, manipulaciones de columna, plantas, masajes e hidroterapia para devolverle al punto en que sea capaz de curarse a sí mismo.

Descubrir más de

Las alergias alimentarias	72
La fitoterapia	116
Los masajes	138

Una dieta poco sana, el estrés, la contaminación, la falta de sueño y un hogar, o ambiente de trabajo, infeliz favorecen los desequilibrios y dañan la vitalidad interna del cuerpo, lo que permite que prospere la enfermedad. Los naturópatas no tratan los síntomas porque, al igual que la mayoría de los terapeutas alternativos, los consideran como una manifestación de las fuerzas sanadoras, o defensas, del cuerpo, y sostienen que no deben ser suprimidos. Si se tratan y suprimen los síntomas, la enfermedad podría volverse crónica y causar más daño y degeneración.

La base de la naturopatía es un estilo de vida natural, y su principio fundamental es que el secreto de una larga vida está en tomar alimentos sencillos e integrales, aire fresco y hacer mucho ejercicio mientras se adopta una actitud positiva.

Los naturópatas hablan de la "tríada de la salud": bioquímica, estructural y psicológica. Así, los terapeutas tratarán los desequilibrios bioquímicos con ayunos, ajustes en la dieta y remedios herbales. La falta de alineación estructural será tratada con masaje, ejercicios posturales para mejorar la flexibilidad y manipulaciones osteopáticas y quiroprácticas. La salud mental mejorará mediante una mejor nutrición y ayuda psicológica.

La hidroterapia cura mediante duchas frías y calientes, baños especiales y envolturas del cuerpo para estimular la circulación, reducir la inflamación y aliviar la congestión del cuerpo para que así mejore la salud y el bienestar.

Los naturópatas tratan la mayoría de las enfermedades, pero sobre todo tratan a personas con enfermedades crónicas, como migraña, fatiga, desórdenes alimentarios, problemas respiratorios, problemas de piel y artritis. Los factores que agudizan el asma son distintos en las diferentes partes del mundo, por lo que los tratamientos serán diversos. En Europa, los terapeutas utilizan más hidroterapia y plantas; en Estados Unidos, se especializan en tratamientos herbales u homeopáticos y se basan en las pruebas de sangre y orina. En el Reino Unido, emplean más la terapia del ayuno y la dieta.

El médico griego Hipócrates fue una de las primeras personas en darse cuenta de la importancia de los poderes curativos de la naturaleza. Para tener una buena salud, aconsejaba el descanso, la comida sencilla y mucho ejercicio.

Los exponentes de la dieta naturópata fueron el americano doctor Henry Lindlahr y el suizo doctor Max Bircher-Benner, el inventor del muesli. El doctor Lindlahr, quien estableció las reglas básicas de la naturopatía, describió la "acumulación de desechos, materiales mórbidos y venenos" y afirmó que su control requería una adecuada ingesta de fruta, verdura y cereales integrales, alimentos actualmente reconocidos como protectores frente al cáncer y otras enfermedades degenerativas.

La anotación de los síntomas y todo aquello que parezca producirlos ayudará al terapeuta a diagnosticar el problema.

La naturopatía

Algunos naturópatas utilizan una prueba denominada análisis mineral del cabello. Se procesa en el laboratorio una muestra de cabello para determinar cualquier desequilibrio, que será corregido mediante una dieta adecuada.

Acudir a un especialista

Los naturópatas reciben una formación similar a la de los médicos convencionales y utilizan las mismas técnicas de diagnóstico. Tienen dos objetivos: ayudar al paciente en la autocuración e introducirlo en un estilo de vida más sano a largo plazo. Durante la primera sesión, que puede durar hasta una hora, el terapeuta hará una serie de preguntas que le permitirán hacerse una idea precisa del estilo de vida y antecedentes personales, así como del historial médico. También le tomará la tensión y medirá el pulso, se fijará en la postura y le preguntará sobre sus hábitos alimentarios. El terapeuta necesitará saber si se siente estresado, qué cosas le hacen feliz y si practica o no ejercicio. Le interesará sobre todo cualquier antecedente de enfermedad en su familia directa.

Una vez que se haya hecho una idea de su estilo de vida, el terapeuta empezará a determinar su problema. Tras diagnosticar la causa subyacente de sus problemas, el naturópata elaborará un plan de tratamiento, diferente según la persona y su estado. Los tratamientos pueden ser anabólicos, destinados a la acumulación, o catabólicos, que limpiarán el organismo y eliminarán las toxinas acumuladas.

Los naturópatas afirman que la toxicidad es la causa principal de enfermedad y que existe una fuerte conexión entre las toxinas y las alergias. Por este motivo, los tratamientos más comunes incluyen cambios en la dieta; los terapeutas piensan que con eso se curan 8 de cada 10 personas. Normalmente recomiendan una dieta biológicamente alineada, que incluye mucha fruta y verdura fresca, preferentemente ecológica, zumos de frutas y verdura recién preparados, nada de azúcar o alimentos refinados, una pequeña cantidad de carne y ausencia total de tabaco, alcohol, té o café. Además, pueden prescribirle una dieta de exclusión para determinar a qué alimentos tiene intolerancia.

En algunos casos, el naturópata puede recomendar un breve ayuno que dure de 3 a 5 días para ayudar a eliminar cualquier desecho metabólico indeseado. En el caso más estricto, sólo se le permitirá beber agua destilada durante el ayuno, aunque puede que le permitan tomar algunas frutas y verduras. Deberá descansar durante todo este período, y evitar cualquier actividad estresante y la utilización de productos químicos, como jabones y lociones para la piel.

Los terapeutas afirman que los productos lácteos y el azúcar alteran la bioquímica del organismo y lo hacen más sensible a los espasmos bronquiales, y a menudo sugieren que se eliminen de la dieta. Los tratamientos de hidroterapia, como los baños, o compresas, fríos y calientes, se recomiendan a veces para estimular la eliminación de toxinas del organismo. Si padece de los bronquios, puede que le aconsejen aplicar compresas calientes y frías sobre el pecho, garganta o abdomen.

ATENCIÓN

Cualquier ayuno o dieta deberá ser controlado. Los niños precisan grasas, azúcares e hidratos de carbono, y no deben ponerse a dieta pobre en grasas.

Después de unas semanas, puede que experimente lo que los naturópatas denominan crisis de curación. Puede sufrir diarrea, sarpullido o fiebre y, si tiene bronquitis, puede tener tos agarrada al pecho. Eso indica que el tratamiento funciona y a veces se estimula por una terapia de fiebre en la que la hidroterapia o las hierbas se utilizan para elevar la temperatura corporal y así eliminar las toxinas. Debe mantener el contacto con el naturópata para controlar cualquier cambio o mejoría de los síntomas.

Descubrir más de

Las alergias alimentarias	72
La fitoterapia	116
La hidroterapia	136

RÉGIMEN NATURÓPATA ANTIALÉRGICO

• *Coma abundante fruta y verdura fresca, pero evite los cítricos, sobre todo las naranjas y el zumo de naranja. Beba zumo natural de manzana o de pomelo, diluido con agua mineral. Siempre que sea posible, no pele la fruta y la verdura.*

• *Reduzca y, si es posible, elimine la ingesta de productos lácteos. Es de especial importancia en caso de asma o eccema, ya que los productos lácteos son desencadenantes conocidos de sus síntomas.*

• *Si no quiere renunciar por completo a la carne, coma carne roja, como mucho, una o dos veces a la semana. Sustituya la carne por abundantes legumbres.*

• *Haga suficiente ejercicio físico —al menos dos o tres veces por semana—; mejorará su circulación y fortalecerá sus pulmones.*

• *Realice ejercicios respiratorios a diario, y no olvide echar los hombros hacia atrás para aumentar el volumen de aire inspirado.*

• *Las duchas frías mejoran la circulación en las zonas afectadas por el eccema. Recientes investigaciones científicas han demostrado que una ducha matinal elimina los ácaros y alivia el eccema.*

• *Utilice un cepillo corporal antes del baño o la ducha para estimular la circulación de la sangre y eliminar las toxinas del organismo.*

• *Evite los ambientes calurosos, mal ventilados y con calefacción central. Siempre que sea posible, abra alguna ventana y utilice un humidificador para evitar que la atmósfera se reseque.*

• *Si sufre asma, pruebe con la osteopatía: podría beneficiarse de algún tratamiento específico para la región torácica de la columna, por el lado de la espalda.*

Incluya abundante fruta fresca y verdura en la dieta y sustituya la carne por legumbres.

La hidroterapia

La hidroterapia consiste en beber, inhalar o nadar en agua mineral templada; recibir masajes y realizar curas de barro en las que el cuerpo es envuelto en arcilla "madurada" y compactada con sales minerales y algas.

La medicina ortodoxa acepta la hidroterapia como una forma de fisioterapia, pero las propiedades curativas del agua se conocen desde la antigüedad. Las personas llevan siglos bañándose en el mar y tomando las aguas en balnearios, y se sabe desde antiguo que los baños calientes y fríos estimulan la circulación de la sangre. Los tratamientos incluían lavados de columna, baños de vapor, compresas abdominales, baños de cabeza y pies, y otros sistemas destinados a tonificar el sistema nervioso, que a su vez ayudaban al cuerpo a superar con más facilidad las enfermedades. Ésa sigue siendo la base de los tratamientos actuales de hidroterapia. Estudios recientes de hidroterapia demuestran que el barro y el agua mineral templada ejercen un efecto específico que depende del balneario. Beber determinadas aguas puede curar una serie de problemas digestivos, mientras que inhalar una salmuera destilada a partir de ciertas aguas ricas en minerales es bueno para problemas respiratorios. Las aguas sulfurosas son buenas contra el asma, la bronquitis y la sinusitis, mientras que los emplastes de barro sirven para problemas circulatorios, eccema y psoriasis.

Las instalaciones de los balnearios modernos incluyen agua termal templada —rica en sales de azufre, yodo y otros minerales—, baños de barro, terapia de salmuera de yodo, baños de dióxido de carbono, inhalaciones de agua sulfurosa y duchas bucales, baños de hidromasaje, baños turcos, saunas, salas de vapor y duchas tonificantes. Algunos tratamientos especializados son:

• Baños calientes para relajar los músculos, aliviar el dolor articular y reducir la inflamación. Si se le añaden algas o sales minerales, adquieren propiedades antisépticas.

• Baños de vapor, baños turcos y saunas que favorecen la sudoración para abrir los poros de la piel y ayudar a restablecer el equilibrio fisiológico en el cuerpo. Terminan con una zambullida en agua fresca.

• La fangoterapia o tratamiento con barro. El barro está enriquecido con agua termal, sales minerales y algas, y después se deja madurar en tanques antes de aplicarlo sobre el cuerpo. Estimula la circulación, ayuda a eliminar los desechos metabólicos y calma la piel.

• La talasoterapia es un tratamiento a base de agua marina y algas. El agua de mar, al parecer, posee propiedades curativas que limpian y tonifican la piel, inducen la sudoración y favorecen la relajación.

Una ducha fría tonificante a primera hora de la mañana estimula el sistema circulatorio.

• Los baños de asiento consisten en dos polibanes, uno con agua fría y otro con agua caliente. Hay que sentarse en el baño caliente de 2 a 3 minutos y después en el frío durante un minuto, manteniendo los pies dentro del otro baño.

• Las compresas son pequeñas toallas o trapos empapados en agua mineral, fría o caliente, escurridos y aplicados sobre el cuerpo. El máximo efecto se consigue alternando las compresas frías y calientes.

• Las envolturas se utilizan para tratar la fiebre y el dolor de espalda. El cuerpo se envuelve en una sábana fría, después en una seca y por último en una caliente. Se dejan puestas hasta que la primera se seca; luego se pasa una esponja con agua tibia por el cuerpo y se seca con una toalla.

• La flotación es una forma de privación sensorial que consiste en tumbarse boca arriba en un tanque, cerrado y a oscuras, lleno de agua con una elevada concentración salina. Resulta profundamente relajante.

Existen pruebas bioquímicas de que al sumergirse en agua mineral, se produce un aumento significativo en la producción de hormonas antiinflamatorias, o endorfinas, que alivian el dolor. Los investigadores afirman que el 88 por ciento de las personas aquejadas de artritis degenerativa manifiestan sentirse mejor con el tratamiento de balneario.

Beber agua termal puede aliviar un colon irritable y mejora el estreñimiento. Inhalar los vapores del agua termal alivia la sinusitis, y los niños asmáticos que reciben un tratamiento de balneario pierden muchos menos días de colegio. Las aguas termales estimulan el crecimiento de células óseas en pacientes aquejados de osteoporosis y ayudan a tratar problemas de piel al estimular a las células para que fabriquen tejido nuevo y sano.

La terapia de la orina

A muchas personas les repugna la idea misma, pero la terapia de la orina está muy extendida en la India. La orina no es más que agua con minerales, sales, hormonas y urea, producto de desecho formado por la descomposición de compuestos nitrogenados. Actúa como un emoliente, atrapando el agua sobre la piel y, aplicada externamente, se sabe que soluciona problemas de piel como el eccema. En el pasado, los albañiles solían orinar sobre sus manos para evitar la dermatitis, y las madres limpiaban los rostros de sus bebés con ella para hacer brillar su piel.

Remedios caseros

• Sumerja el rostro en agua fría a primera hora de la mañana. Estimulará la circulación y hará de descongestionante.

• Sumérjase en un baño caliente durante cinco minutos para relajar los músculos cansados. La temperatura óptima está entre 36,5 y 40 °C.

• Alivie el eccema leve con un baño tibio con un kilo de sal disuelto en el agua. Sin embargo, evítelo si la piel está rajada y sangra.

• Prepare su propio baño de asiento con dos palanganas o baños de bebé. Puede aliviar problemas como el estreñimiento.

Descubrir más de	
La piel	20
El sistema digestivo	22
La naturopatía	133

Mojar el rostro con agua fría refresca la piel y ayuda a despejar las fosas nasales.

EL PEZ TERAPÉUTICO

El tratamiento de hidroterapia más extraño se encuentra en la India. Cientos de miles de asmáticos acuden a Hyderabad para ingerir un diminuto pez de 5 cm de longitud, el pez vela. La boca del pez se llena de una pasta herbal y a continuación hay que tragarse el pez, vivo. De camino al estómago, el pez desprende las capas de flemas y, una vez allí, libera la pasta herbal terapéutica, antes de morir. La recomendación para casos de asma es tragarse un pez al año durante tres años.

Los masajes

El término "masaje" proviene del griego Bassein, "amasar", y es una terapia basada en la instintiva necesidad humana de tocar y frotar, ya sea para reconfortar a alguien o para aliviar el dolor en una parte específica del cuerpo. Se trata de una técnica holística que combina las cualidades calmantes del tacto con la manipulación de músculos, tendones y ligamentos.

La manipulación estimula la circulación de la sangre y la linfa, alivia la rigidez muscular y articular, relaja la digestión, aumenta la energía y dispersa las toxinas acumuladas. Existen muchos tipos de masaje diferentes, desde la tradicional técnica sueca hasta el profundo masaje *marma* hindú, pasando por el tailandés. Se puede elegir entre un drenaje linfático manual, un masaje craneal hindú, terapias de contacto, como el reiki, o técnicas profundas y, a veces, dolorosas, como el Rolfing.

El masaje es uno de los artes de sanación más antiguos y la mayoría de las culturas de todo el mundo lo han practicado para curar y producir bienestar. Forma parte de la medicina tradicional china y la ayurvédica, y antes del surgimiento de la medicina moderna, se utilizaba para curar desde un dolor de espalda hasta una enfermedad crónica.

Los griegos y los romanos preparaban con ellos a sus gladiadores antes de la batalla, e Hipócrates los prescribía a sus pacientes en el año 460 a.C., afirmando que "El médico debe ser un experto en… frotar. Pues el frotamiento puede fijar una articulación floja y aflojar una que esté rígida".

En Oriente Medio y Asia surgieron diversas técnicas que se utilizan regularmente, no sólo en sus sistemas médicos, sino en su vida diaria. Sin embargo, en Occidente, el masaje cayó en desuso y no resurgió hasta el siglo XIX por obra de una gimnasta sueco, Per Henrik Ling. Él fue quien desarrolló la "técnica de movimiento sueca", conocida como masaje sueco, sobre la que se basa la mayoría de los estilos de masaje europeo. Esta técnica se introdujo en Estados Unidos hacia 1870.

Durante ambas guerras, el masaje se utilizaba para recuperar a los soldados heridos y resultó especialmente útil para quienes sufrían trauma de guerra. En la década de 1970 volvió a ser popular, pero adquirió una fama, bastante injustificada, de ser algo sórdido —el masaje sueco, en concreto, por sus connotaciones sexuales—, hasta el punto de que los masajistas actuales prefieren denominarse terapeutas o especialistas.

El masaje actual tiene múltiples utilidades: para relajar al profesional tras una dura semana laboral; para aliviar dolores, o simplemente para mimarse uno un poco; y para tratar a los enfermos, ancianos y terminales en hospitales por parte de enfermeras y terapeutas.

El masaje sueco u occidental es el más común y se utiliza a menudo en gimnasios. Los terapeutas suelen utilizar sus manos y se concentran en aliviar la tensión muscular. A menudo se utilizan aceites para evitar rozaduras, y aceites de aromaterapia para un beneficio añadido.

El masaje oriental incluye la estimulación de los puntos de acupresión por parte del terapeuta, con sus manos, codos y rodillas. A veces utilizan aceites, siendo el objetivo del tratamiento la liberación de vitalidad y la estimulación de la armonía de cuerpo y mente. Los cuatro principales masajes orientales son tailandés, shiatsu, reiki y tuina.

En el Miami School of Medicine's Touch Institute se han demostrado los múltiples beneficios del masaje. Aumenta la consciencia, alivia la ansiedad y la depresión, aumenta el número de anticuerpos y disminuye el nivel de la hormona de estrés, cortisol.

Los científicos también han comprobado que los bebés prematuros que reciben un masaje suave de 15 minutos al día, ganaban casi un 50 por ciento más de peso, y abandonaban el hospital seis días antes, que los bebés que no recibían masajes. Los estudios demuestran que el masaje es útil en caso de enfermedades infantiles, como eccema, asma y diabetes.

Otros estudios muestran que el masaje alivia la ansiedad y la depresión y mejora la circulación sanguínea, produciendo una sensación de calor que favorece la circulación linfática. No existen pruebas de que el masaje provoque la extensión del cáncer por el sistema linfático. Caminar, un baño templado o ejercicio suave estimulan el sistema linfático mucho más que un masaje. Más aún, los enfermos hospitalizados por cáncer se benefician de un masaje periódico.

Tratamiento

En la primera sesión, el terapeuta se interesará por la salud, historial médico, medicación y estilo de vida del paciente. También querrá saber qué trabajo desempeña y si sufre algún estrés en concreto. Justo antes de una sesión no hay que comer ni beber.

En el caso de un masaje tradicional puede ser de cuerpo completo, o de cuello y hombros. Para el masaje completo hay que desvestirse, aunque la mayoría de las personas conservan la ropa interior. El terapeuta cubrirá las zonas no masajeadas con una toalla.

La mayoría de los terapeutas comienzan por la espalda, seguida de cuello y piernas, a veces con aceites aromáticos y, en ocasiones, con polvos de talco. A continuación, pasará a los hombros, parte delantera de las piernas, brazos, manos y, a veces, el abdomen. La mayoría prefiere trabajar en silencio para concentrarse mejor, pero en caso de incomodidad o dolor, hay que decírselo. El masaje debería ser placentero, no una causa añadida de estrés.

Un masaje dura alrededor de una hora (30 minutos para el cuello y los hombros) y, al final, el paciente se quedará solo a descansar. Deberá sentirse completamente relajado y sin frío.

Descubrir más de

La aromaterapia	104
La acupresión	108
La osteopatía	124

Si no tiene tiempo de un masaje completo, un relajante masaje facial ayuda a aliviar la tensión.

Los masajes

El masaje es beneficioso para los músculos del cuello al mejorar la circulación y favorecer la relajación.

Los dedos deben ejercer la misma presión que las palmas.

LOS MOVIMIENTOS BÁSICOS

No es difícil aprender los movimientos básicos del masaje.

Effleurage

Deslice las manos untadas de aceite por el cuerpo, por ejemplo subiendo y bajando por la espalda y la parte delantera de las piernas. Cuanto más rápidos sean los movimientos, más estimulante resultará el masaje, y cuanto más lentos, más relajante. Debe hacerse más presión en los movimientos ascendentes.

Petrissage o amasar

Los músculos son estrujados o enrollados, como si se amasara pan. Se utiliza para las piernas, nalgas, espalda y parte superior del tórax. Para las piernas, deberá colocar las manos a ambos lados de la pierna y hundir en ella el talón de la palma mientras mueve las manos lentamente en dirección opuesta.

Tapotement o golpeteo

Consiste en golpear ligeramente el cuerpo con los cantos de las manos. Los dedos, manos y muñecas deben estar relajados y no deben elevarse más de 10 cm sobre el cuerpo. Esta técnica debería utilizarse sobre las partes carnosas, como glúteos y muslos.

Frottage o fricción profunda

Se emplea para aliviar zonas específicas de tensión, normalmente en la espalda y los hombros, donde se acumula la rigidez. Con los pulgares y los dedos índices, presione sobre cualquier punto duro o tenso y gire el dedo durante unos 10 segundos. Repita tres o cuatro veces y termine por un movimiento suave de barrido.

Presión de puntos

Identifica los "nudos" en los músculos donde se acumula la tensión, y trabaje sobre ellos. La mayoría de las personas poseen toda una serie de puntos de presión. El objetivo es liberar la tensión de esos puntos concretos, prestando menos atención al conjunto de la espalda.

Acopado

Junte la punta de los dedos y el pulgar, como si quisiera recoger agua con las manos, y golpee el cuerpo con las manos ahuecadas. Funciona muy bien con las partes carnosas del cuerpo.

Técnicas de masaje

Un masaje delicado y hábil es un placer tanto físico como emocional. Con cada movimiento se sienten relajarse los músculos y desaparecer la tensión y la ansiedad. Por tanto, es ideal para problemas relacionados con el estrés, como dolores de cabeza, insomnio, dolor de espalda, torceduras, ciática, asma, eccemas, colon irritable, estreñimiento y problemas digestivos.

Para dar un masaje hará falta una superficie firme, como una tabla o el suelo, sobre la que trabajar. También necesitará aceite, crema o polvos de talco para lubricar las manos, y una toalla grande.

Las siguientes técnicas de masaje son para dos personas; la que recibe el masaje se sitúa debajo. Caliente una cucharadita de aceite, frotando las manos, antes de empezar.

Masaje de tórax

Un masaje de tórax ayuda a aliviar el asma. Se empieza por soltar los músculos de la espalda con un lento effleurage; después se amasan los hombros y se dan golpecitos acopados sobre la parte media

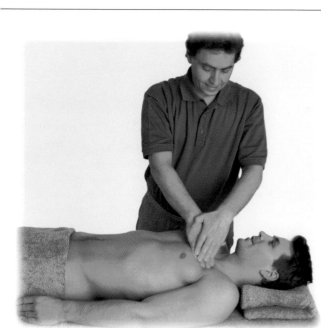

Descubrir más de

La reflexología   144
La elección del especialista 150

Al dar un masaje, debe colocarse lo más erguido posible, manteniendo una postura relajada mientras realiza movimientos con las manos.

de la espalda. Se aplica fricción a la parte superior del tórax, justo debajo de la clavícula, y se termina con un ligero amasado o abaniqueo.

Masaje de hombros

Para relajar los hombros, utilice el movimiento de abaniqueo desde la clavícula, alrededor de los hombros y subiendo por el cuello hasta la nuca. Presione los hombros hacia abajo con las palmas para abrir el pecho y mejorar la respiración. Sujete los hombros unos 10 segundos antes de soltar lentamente.

Masaje de espalda

Es un masaje relajante completo. Arrodíllese junto a la cabeza del paciente y coloque las manos a ambos lados de la parte superior de la columna. Deslice las manos hacia abajo y vuelva a subir hasta la nuca. Realice amasado para deshacer la tensión en hombros y cuello y fricción a ambos lados de la columna. Termine con un effleurage.

Masaje rápido de cuello y hombros

Se puede realizar sentado y a través de la ropa. Realice suaves movimientos de abaniqueo desde la nuca hasta los hombros y vuelta a la nuca. Tras unos minutos, apriete los músculos que van de la nuca al cuello con los pulgares en busca de cualquier punto de tensión. Coloque las manos sobre los hombros y lenta, aunque firmemente, enrolle la carne hacia arriba con los pulgares.

ATENCIÓN

Acuda al médico antes de darse un masaje si sufre del corazón, bronquitis, eccema húmedo, venas varicosas, flebitis, dolor de espalda agudo, trombosis, fiebre, o si está en los tres primeros meses de embarazo. No realice un masaje sobre heridas, inflamaciones o desgarros musculares, ya que son graves y dolorosos.

La sanación

*L*a *"imposición de manos" existe en la mayoría de las culturas, y enraíza en las primeras religiones, prácticas de magia y chamanismo. A lo largo de la historia, los individuos con poderes para sanar han sido, y son, destacados y reverenciados.*

Seguramente se sentará en una silla para recibir la sesión, aunque también puede recibirse tumbado.

El sanador le impondrá sus manos, que actúan como conductos para canalizar la energía sanadora hacia el cuerpo, o se conectará con el aura que lo rodea.

Sanar es restablecer la salud a través de una persona que canalice la energía sanadora. Se puede hacer por imposición de manos o a distancia. Los sanadores creen que cada persona está rodeada de energía que puede ser canalizada para estimular la capacidad natural del cuerpo para curarse a sí mismo, en la llamada curación espontánea.

Acudir a un sanador

La mayoría de los sanadores trabajan en sus casas o en un centro de salud. El ambiente será relajante, quizá con incienso y música. La primera sesión durará alrededor de una hora y el sanador preguntará sobre la salud, afecciones, medicación y diagnóstico médico del paciente. Si no ha acudido a un médico, el sanador debería recomendarle acudir a alguno.

No hace falta estar concentrado, el sanador lo hace todo. Tras unos momentos para sintonizar mentalmente con el paciente, el sanador colocará las manos sobre su cuerpo —a veces sobre la zona afectada— o realizará un barrido a pocos centímetros del cuerpo.

La sanación dura unos 15 minutos, aunque puede ser más corta. Las manos del sanador pueden parecer ardientes y puede sentirse cosquilleo, frío o una profunda relajación.

Los sanadores afirman que sus poderes son un misterio —no son más que transmisores de la energía que proviene del cosmos y es emitida por el cuerpo—. Muchos médicos afirman que la sanación no es más que un efecto placebo; en otras palabras, si pensamos que un tratamiento nos hace bien, nos lo hará.

Existen muchos estudios sobre la sanación, a pesar de su naturaleza esotérica. Ningún sanador honrado afirmará curar, pero sí que no hay límites a las enfermedades que pueden beneficiarse de la sanación. Su mayor eficacia se demuestra en las enfermedades crónicas, como eccema, y enfermedades mentales como ansiedad y depresión.

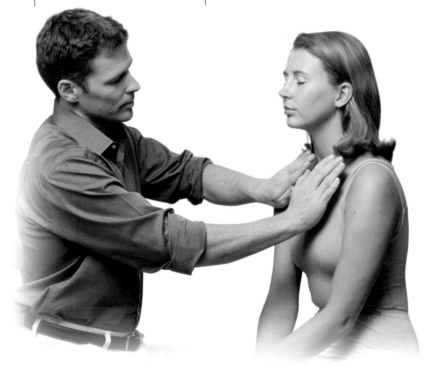

DIFERENTES TIPOS DE SANACIÓN

SANACIÓN ESPIRITUAL	El sanador espiritual afirma que la energía sanadora proviene de una fuente divina —normalmente, aunque no siempre, Dios— y la sanación tiene lugar a través de la imposición de manos. No importa si la persona que recibe la terapia tiene fe.
SANACIÓN PSÍQUICA	Es un don que sólo poseen algunas personas, normalmente tras alcanzar un alto nivel de consciencia. Los yoghis y los ascetas pueden lograrlo tras años de meditación contemplativa. Algunas personas nacen con el don y son capaces de aprovechar la energía mejor que otras.
SANACIÓN POR FE	Suele realizarse en grupo, a menudo en un contexto religioso, como una misa. A diferencia de la sanación espiritual, requiere que el paciente tenga un cierto grado de fe en los poderes del sanador. Se basa en la fe y confianza en el poder del sanador.
SANACIÓN POR EL AURA	Algunos sanadores afirman ver franjas de colores que irradian del cuerpo, el aura, que refleja la salud y ánimo de la persona. La foto de Kirlian, desarrollada en la década de 1930, muestra claramente una energía electrónica magnética alrededor del cuerpo, que puede ser fotografiada. Los sanadores del aura afirman que los colores emanan de los siete chakras, vórtices energéticos que discurren por el cuerpo. Los sanadores del aura posan sus manos sobre la persona o cerca de ella, y visualizan un color sanador.
SANACIÓN AUSENTE	Se puede sanar a distancia, normalmente a una hora acordada, y el sanador (una persona o un grupo) visualizará la energía sanadora que se transfiere, de él o ellos, hacia el paciente. Las oraciones entran dentro de esta categoría.
TACTO TERAPÉUTICO	Es una forma de sanación utilizada por profesionales de la salud. Está extendida en hospitales, sobre todo en Estados Unidos, y se utiliza en el tratamiento de pacientes para quienes el contacto directo resulta demasiado doloroso. El sanador trabaja sobre la superficie del cuerpo y la experiencia parece resultar profundamente relajante.
REIKI	El reiki japonés es una forma de terapia de contacto que implica el tratamiento por parte del terapeuta por imposición de manos sobre la parte del cuerpo afectada o cerca de ella. Los terapeutas afirman que la energía fluye a través de sus manos al interior del cuerpo del paciente.

La reflexología

La terapia de zonas reflejas, o reflexología, es un tratamiento en el que el terapeuta aplica presión a ciertos puntos, o reflejos, de la planta del pie —y a veces de la mano y el rostro— relacionados con diferentes partes del cuerpo.

El masaje de reflexología puede recibirse tumbado o sentado. Algunos terapeutas sólo masajean el pie, mientras que otros trabajan puntos de las manos y pies, correspondientes a las mismas zonas.

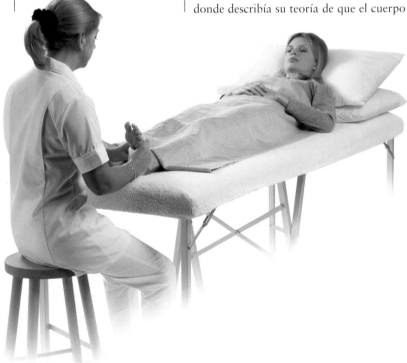

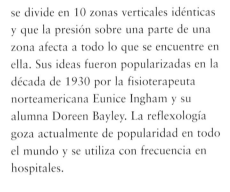

La reflexología pretende impulsar los niveles de energía y restaurar el bienestar emocional, además de aliviar determinadas patologías. El masaje podal se practica en la medicina tradicional china y también por parte de los antiguos egipcios y de los nativos americanos. Fue redescubierto en 1913 por el doctor William Fitzgerald, otorrinolaringólogo norteamericano, que descubrió que la aplicación de presión en ciertas partes de la mano y el pie adormecía el oído y le permitía operar sin necesidad de anestesia.

En 1917 publicó *Zone Therapy*, donde describía su teoría de que el cuerpo se divide en 10 zonas verticales idénticas y que la presión sobre una parte de una zona afecta a todo lo que se encuentre en ella. Sus ideas fueron popularizadas en la década de 1930 por la fisioterapeuta norteamericana Eunice Ingham y su alumna Doreen Bayley. La reflexología goza actualmente de popularidad en todo el mundo y se utiliza con frecuencia en hospitales.

La teoría

Según los reflexólogos, el cuerpo se divide en 10 zonas reflejas que recorren el cuerpo desde los pies hasta la cabeza, y de ahí hasta las manos. Existen reflejos en la planta del pie, la palma de la mano, las orejas, la lengua y la cabeza, correspondientes a cada parte del cuerpo. El pie y la mano derecha representan el lado derecho del cuerpo, y viceversa.

Cuando un reflexólogo trabaja sobre un determinado punto del pie, estimula la autocuración de órganos en la misma zona. Al igual que en la acupuntura, en reflexología se considera que la enfermedad surge cuando se bloquea el paso de energía. La reflexología puede desbloquear ese paso. Cuando existe un desequilibrio, se acumulan depósitos cristalinos de calcio y ácido úrico en las terminaciones nerviosas de los puntos relevantes de reflexología, y los reflexólogos pueden percibirlos.

La reflexología es útil para problemas relacionados con el estrés, sobre todo migrañas, dolores de cabeza, problemas de espalda y digestivos, como el colon irritable. Los terapeutas afirman que también alivia el asma y los problemas de piel, como eccema y psoriasis.

Existen numerosas evidencias de la eficacia de la reflexología, pero no hay ninguna evidencia científica para apoyarlas. Sin embargo, diversos estudios han demostrado que sesiones regulares de reflexología pueden aliviar problemas como estreñimiento y tensión premenstrual. También se sabe que existen miles de terminaciones nerviosas en las plantas de los pies, cuya estimulación envía señales a distintas partes del cuerpo, estimulando los sistemas circulatorio y linfático, que a su vez mejoran la salud.

Acudir a un reflexólogo

En la primera visita, que durará una hora, el terapeuta se interesará por la salud y el estilo de vida del paciente y le pedirá que se relaje, sentado o tumbado, con los pies ligeramente elevados y descalzos. Antes de comenzar, le limpiará los pies con polvos de talco. La mayoría de los terapeutas trabajan sobre los pies, pero también pueden hacerlo sobre las manos o el rostro.

Los reflexólogos perciben ligeras inflamaciones, indicativas de una debilidad en alguna parte del cuerpo. Estas inflamaciones son depósitos cristalinos que se deshacen por presión, y así se inicia el proceso de curación.

Si padece de eccema, el reflexólogo puede masajear zonas relacionadas con el sistema digestivo, como hígado, riñones y glándulas adrenales y pituitarias. Para el asma, el terapeuta puede aplicar presión sobre el punto reflejo del plexo solar, lo que favorece la relajación del diafragma y los pulmones.

Tras masajear los pies, el terapeuta trabaja todas las zonas del pie mientras estimula los reflejos. Utilizará diversas técnicas, de las cuales la más común es el movimiento de ciempiés. El reflexólogo hundirá el pulgar o dedo índice en el pie, aliviará la presión, desplazará los dedos y volverá a presionar.

Si existe un bloqueo de energía, el pie puede estar sensible, incluso sentir dolor, y el reflexólogo eliminará el bloqueo con una suave presión. El terapeuta alternará el masaje suave con la compresión. La reflexología trata simultáneamente a diferentes niveles e influye en las alteraciones emocionales y espirituales, así como en los problemas físicos.

Lo habitual es sentirse relajado tras una sesión de reflexología, pero también se puede producir tos, un sarpullido o la necesidad de orinar más frecuentemente. Son las señales de que la terapia funciona. Tras la sesión, los síntomas pueden empeorar momentáneamente.

El número de sesiones necesarias dependerá del estado de salud, pero pueden hacer falta varias antes de sentir un cambio. No hay que estar enfermo para acudir a un reflexólogo. Una persona que goce de buena salud podrá relajarse y disfrutar del masaje.

Descubrir más de

La acupuntura	108
La fitoterapia china	112

VACUFLEX

Se trata de una forma avanzada de reflexología en la que los pies son estimulados por una presión de succión. Se utilizan unas botas de fieltro a las que se ha hecho el vacío, y el pie se trata en cinco minutos. Al retirar las botas, cualquier marca roja sobre los pies indica los puntos que requieren más tratamiento, con unas almohadillas especiales de succión.

El *biofeedback*

El biofeedback *se basa en la teoría de que el hombre puede ser consciente de las funciones corporales involuntarias y ejercer cierto control sobre ellas, como el ritmo cardíaco, la tensión arterial y la tensión muscular.*

El *biofeedback* no es una terapia en sí, sino un medio para controlar las funciones corporales a través de otras terapias como la meditación, el entrenamiento autogénico y la relajación. Para aprender a modificar funciones corporales involuntarias, primero hay que recibir y registrar las señales de la parte del cuerpo que se pretende controlar. Estas señales de retroalimentación, como la respuesta electrónica de los músculos, se registran en una máquina de biofeedback.

Aunque la técnica se remonta a la década de 1930, el término *biofeedback* se acuñó en 1969. Se usó inicialmente para describir los procedimientos de laboratorio a fin de entrenar a sujetos de investigación para alterar su actividad cerebral, tensión muscular, ritmo cardíaco, movimientos intestinales, acidez estomacal y otras funciones corporales controladas por el sistema nervioso autónomo.

Al conectarse a un dispositivo de *biofeedback* y alterar sutiles funciones corporales, se puede reducir la tensión muscular para aliviar cualquier problema de estrés, dolor de cabeza, migraña, ansiedad, insomnio, hipertensión, colon irritable, asma y alergias.

Acudir a un especialista

El especialista en *biofeedback* le enseñará a utilizar la máquina, de la que existen varios tipos, y medirá sus funciones corporales. Un electroencefalógrafo registrará las ondas cerebrales; un electromiógrafo medirá la actividad muscular; y un electrocardiógrafo medirá el ritmo cardíaco. Los cambios de temperatura en la piel se medirán con un medidor de temperatura y la conductividad eléctrica con un sensor eléctrico de respuesta epidérmica.

Una vez colocados los monitores, le enseñarán unas sencillas técnicas de respiración y relajación para que pueda controlar sus respuestas corporales. Cuando se relaje, observará un aumento de las ondas cerebrales alfa, una disminución del ritmo cardíaco y un descenso en la actividad de la glándula sudorípara.

El *biofeedback* le enseña a modificar estas funciones sin la utilización del dispositivo, y se necesitarán unas seis sesiones para comprender la técnica. No es tan sencillo como parece. A muchas personas les cuesta alterar sus funciones involuntarias sin una máquina que les indique sus progresos.

Existen numerosas evidencias científicas, unos 2.500 trabajos de investigación, que apoyan la eficacia del *biofeedback* para varias enfermedades. En un estudio sobre los efectos del *biofeedback* en pacientes de asma, se monitorizó a 22 niños que practicaban la relajación muscular profunda estimulada por las respuestas de *biofeedback*. Los niños asmáticos fueron comparados con un grupo similar que no había recibido ninguna terapia. Los niños que utilizaban *biofeedback*, mostraron mejoría en la tasa de flujo máximo y una reducción en el uso de medicamentos esteroideos y en el número de ingresos hospitalarios.

La hipnoterapia

En un estado de semitrance, la mente se vuelve muy receptiva a la sugestión. Una vez alcanzado ese estado, el terapeuta le hará sugerencias para ayudarlo a controlar sus síntomas o cambiar sus respuestas ante ellos.

Descubrir más de

Entrenamiento autogénico	98
La relajación	102
La autohipnosis	103

La hipnosis es un estado natural. La mayoría de las personas sueña despierta varias veces al día. La ensoñación en los niños puede ser tan viva que llega a sustituir a la realidad. Nueve de cada 10 personas pueden ser hipnotizadas. Sin embargo, quienes sienten la necesidad de tener el control, son difíciles de hipnotizar.

Algunos médicos opinan que la hipnosis es una forma de intensa relajación, y otros que es un estado alterado de la consciencia en el que el cerebro desconecta los nervios que suministran información sensorial. Otra teoría es que activa el hemisferio derecho, el creativo, del cerebro, mientras que cierra el izquierdo, el del pensamiento lógico y analítico.

La relajación es la base de la hipnoterapia, y por tanto útil en el tratamiento de dolencias relacionadas con el estrés, como hipertensión, migraña, dolor de cabeza y colon irritable. Afecta al asma y las alergias. Puede afectar a la temperatura de la piel, a los bronquios e intestinos sensibles, y puede reducir los síntomas de las alergias de piel.

La práctica regular de la hipnosis puede ayudar en caso de asma. Un ataque, ya iniciado, puede pararse con autohipnosis, y la hipnoterapia puede aliviar el estrés asociado al ataque. La hipnoterapia ha reducido los ingresos hospitalarios, la duración del ingreso y el uso de esteroides. La mayoría de los asmáticos que se someten a hipnoterapia sienten mejorar sus síntomas.

Acudir a un hipnoterapeuta

Tras elaborar un historial médico, el terapeuta le sugerirá al paciente que se siente cansado y pesado, y seguramente utilizará una imagen —un tramo de escaleras o un paseo por el bosque— para llevarlo a un profundo trance. Al llegar al centro del bosque, o al pie de las escaleras, se sentirá desligado del mundo real.

Si sufre eccema, y una vez alcanzado el estado de profundo trance, el terapeuta le pedirá que se imagine bañándose en un arroyo. Si está estresado, que visualice la apertura de unas compuertas. Algunos hipnoterapeutas siembran la sugestión de que los síntomas se esfuman, y suelen acompañarla de una sugestión de bienestar y confianza en sí mismo. Para volver a la consciencia —posible en cualquier momento— el hipnoterapeuta lo guiará de vuelta por las escaleras o el bosque.

El curso suele incluir seis sesiones de una hora, durante las que le enseñarán a relajarse y a autohipnotizarse.

ATENCIÓN

Es importante elegir un hipnoterapeuta acreditado —un médico, enfermera o psicólogo que posea formación en hipnoterapia—. El hipnotismo es fácil de aprender, pero el arte de la hipnoterapia, y sus beneficios, reside en saber tratar a alguien una vez hipnotizado.

La hipnosis puede producir una abreacción, en la que los viejos recuerdos resurjan a la superficie y provoquen angustia. Hay que tener cuidado con los hipnoterapeutas ansiosos por recuperar los recuerdos reprimidos. Los recuerdos reprimidos, de existir, es mejor recuperarlos con un psicoterapeuta experimentado.

CAPÍTULO CUATRO

Psicoterapia y consejo psicológico

Los beneficios de la psicoterapia y la ayuda psicológica sobre la salud no parecen tan evidentes como los obtenidos con otras terapias. Sin embargo, hay pocas dudas de que la vida emocional nos afecta a un nivel tanto físico como mental.

No es fácil tomar la decisión de acudir a un consejero, pero hablar de los problemas con alguien imparcial, y que no va a juzgarnos, puede ser de gran ayuda.

Muchos estudios demuestran que una actitud positiva ayuda a recuperarse de una enfermedad, mientras que las personas que reprimen sus emociones se recuperan peor. La pérdida de la esperanza, un divorcio o fallecimiento, y los excesos a menudo se traducen en una desesperación que puede conducir a la enfermedad.

Eso no quiere decir que una actitud positiva y alegre cure el asma o las alergias, pero el cuerpo y la mente están asociados y se puede estimular el proceso autocurativo. Existe la evidencia de que el estrés y el ánimo influyen en la respiración, y algunos científicos han identificado grupos de riesgo para el asma. La negación, la hostilidad reprimida y la inmadurez emocional se han asociado a personas con poco control sobre su asma.

Existen cientos de técnicas de consejo psicológico para tratar el sufrimiento mental, o las dolencias físicas de origen psíquico. Estas terapias animan a hablar abiertamente sobre los pensamientos, temores, ansiedades y problemas más íntimos, con un profesional cualificado, quien guiará y ayudará al paciente a encontrar soluciones al objeto de su preocupación. Se puede recibir consejo psicológico en privado, con la pareja, o en grupo.

La psicoterapia es el tratamiento de los problemas emocionales a través de la psicología. Una persona cualificada establece una relación con el paciente con el objetivo de alterar su comportamiento para que así lleve una vida más positiva.

Las dos terapias se solapan. Ambas son técnicas "para hablar" que no juzgan y que respetan los valores del paciente. La relación que se desarrolla con el terapeuta es seguramente más importante que la teoría sobre la que se basa la terapia, pero ambas cosas requieren dedicación y energía —un curso de psicoterapia puede ser un trabajo duro.

LA PSIQUIATRÍA Y LA PSICOTERAPIA

No es lo mismo psicoterapia que psiquiatría. Aquélla estudia el comportamiento humano y el tratamiento consiste en hacernos comprender cuál es nuestro problema, a través de la conversación con un "oyente" profesional. La psiquiatría es una disciplina médica que se centra en un desorden mental, y el tratamiento suele implicar medicación. Los psiquiatras son todos médicos.

TIPOS DE TERAPIA

PSICOANÁLISIS

El psicoanálisis sostiene que el origen de la infelicidad y la ansiedad reside en el inconsciente. A veces están tan enterradas que se olvidan. Sin embargo, las emociones reprimidas resurgirán con el tiempo en forma de depresión, ansiedad o enfermedades relacionadas con el estrés, como colon irritable o migraña. El psicoanálisis pretende abrir el inconsciente y los pensamientos reprimidos. El tratamiento incluye decir todo lo que venga a la mente. Freud valoraba mucho esta libre asociación y opinaba que le daba las claves del subconsciente. El analista puede también analizar los sueños, ya que pueden revelar conflictos ocultos.

TERAPIA PSICODINÁMICA

Insiste en la importancia de las experiencias pasadas sobre el comportamiento actual. El terapeuta lo animará a hablar sobre su infancia y las relaciones con los padres y otras personas importantes del pasado, y también sobre el trabajo y la vida familiar. Intentará descubrir si traslada algún sentimiento del pasado a sus relaciones actuales. Con ello debería adquirir un mayor conocimiento de sí mismo y resolver los problemas del presente. Los terapeutas psicodinámicos se implican a menudo más activamente en las sesiones que los psicoanalistas.

TERAPIA DEL COMPORTAMIENTO

Se basa en la teoría de que todo comportamiento es aprendido y que, por tanto, se puede desaprender para adquirir un nuevo comportamiento, desligado del pasado. La terapia del comportamiento se basa en que aquello que tememos se vuelve menos amenazador en un ambiente seguro y controlado. Además, el comportamiento deseable puede ser recompensado. Esta terapia es muy eficaz contra la ansiedad, la depresión, los comportamientos obsesivos y las fobias. Por ejemplo, si tiene fobia a las arañas, el terapeuta puede mostrarle la imagen de una araña, luego una película sobre arañas, y por último, le hará sujetar una araña pequeña, y luego una grande.

TERAPIA DEL COMPORTAMIENTO COGNITIVO

Este tipo de terapia se basa en la idea de que nuestra percepción del mundo influye en las emociones y, consecuentemente, en el comportamiento. Alguien que sufra depresión puede estar atrapado en una espiral de pensamientos negativos y creer que todo lo malo es culpa suya, mientras que lo bueno es simple casualidad. A través de la terapia del comportamiento cognitivo, aprendemos a hacer frente a los pensamientos negativos y a pensar positivamente.

PROGRAMACIÓN NEUROLINGÜÍSTICA

Combina las técnicas de comportamiento cognitivo con la hipnoterapia y otras formas de psicoterapia, y se basa en la idea de que las experiencias modelan nuestra manera de ver el mundo. El terapeuta analizará nuestro comportamiento, y lo que nos ha llevado a él, y nos enseñará a cambiarlo.

CONSEJO PSICOLÓGICO

El consejo es muy popular y muchas clínicas y consultas médicas tienen a un consejero. Suele funcionar mejor cuando se aplica a un problema concreto, como una redundancia, problemas de relación o luto. Muchos problemas relacionados con el estrés, por ejemplo una alergia, que empeora con estrés, mejoran tras discutir los problemas y síntomas con alguien formado para escuchar.

La elección del especialista

Es más difícil encontrar un especialista de medicina alternativa que uno convencional. Al acudir al médico, sabemos que es una persona cualificada para la práctica. Si tenemos dudas, comprobamos sus credenciales en un directorio médico y si no nos sentimos bien atendidos, disponemos de canales a través de los cuales protestar.

Llame a la asociación profesional de una determinada terapia y pídales que le envíen una lista de los profesionales más cercanos a su residencia. Si puede ser, antes de fijar una cita, hable con el terapeuta elegido.

En la mayor parte de Europa los especialistas alternativos deben registrarse para poder ejercer. Sin embargo, en algunos países, como Gran Bretaña, la medicina alternativa en conjunto prácticamente no está regulada y cualquiera puede ejercerla, independientemente de su formación, médica o de otro tipo.

La recomendación personal es uno de los mejores modos de encontrar un buen terapeuta alternativo, pero aun así hay que comprobar sus credenciales. Esto es especialmente importante cuando decidimos acudir a un especialista que realice manipulaciones físicas, como un quiropráctico, un osteópata, o uno que lleve a cabo técnicas invasivas, como la fitoterapia, en la que ingerimos sustancias, o la acupuntura en la que nos clavan agujas.

Si no tenemos a nadie que nos recomiende un buen terapeuta, podemos pedirle consejo a nuestro médico. También podemos consultar en nuestro centro de salud o herbolario, ya que en lugares como éstos o en bibliotecas a veces se anuncian los terapeutas. La mayoría de las terapias están inscritas en una asociación que asegura el cumplimiento de unos mínimos y que protege al público de los terapeutas sin escrúpulos. Publican un registro de especialistas cualificados al que podremos acudir para elegir al que trabaje más cerca de nuestra residencia.

Estas asociaciones tendrán normas de formación, un código deontológico, una vía para atender quejas, procedimientos disciplinarios y sanciones, como la expulsión de un terapeuta fraudulento, y también un seguro de responsabilidad profesional. Asimismo, es muy probable que proporcionen detalles sobre distintos grupos de terapia alternativa.

Elija la terapia con la que más a gusto se sienta. No intente ninguna que le produzca miedo. Si no le gustan las agujas, no pruebe la acupuntura; quizá la acupresión le vaya bien. Si le preocupa ingerir mezclas de hierbas, puede que le vaya mejor la reflexología que la fitoterapia occidental o china.

Comprobar las credenciales del especialista

Antes de solicitar una sesión con un terapeuta, debe hablar con él por teléfono o, mejor aún, concertar una cita personal. Va a invertir tiempo y dinero en un tratamiento y depositar su confianza en esa persona, y por tanto es perfectamente comprensible que quiera acertar.

Un especialista acreditado admitirá de buen grado sus preguntas sobre su

ATENCIÓN

Rechace a un terapeuta que:
* *Haga excesiva propaganda de su terapia o asegure que le va a curar. Ningún profesional de la salud —alternativa o convencional— puede garantizar la curación.*
* *Critique el trabajo de otros terapeutas.*
* *Intente persuadirle para que deje de acudir a su médico o de tomar sus medicamentos. Un buen terapeuta trabaja sin problemas junto a un médico convencional, e incluso puede ejercer en hospitales y clínicas.*
* *Sea más caro que otros y que le recomiende un mayor número de sesiones antes de ver ninguna mejoría.*

Descubrir más de

La elección de una terapia 82
Terapias autoadministradas 84
Terapia con un especialista 106

formación y, debería desconfiar de aquellos que se nieguen a contestar con claridad. Si no está conforme con la respuesta recibida, haga averiguaciones en la asociación profesional a la que pertenezca el terapeuta. Puede ayudarse de la guía telefónica.

Las preguntas obligadas

Antes de embarcarse en una terapia alternativa, debería hacerle las siguientes preguntas al terapeuta:
* ¿Cuál es su formación y cuántos años de estudio tiene?
* ¿Está inscrito en una asociación de confianza? ¿Cuál es?
* ¿Cuánto tiempo lleva ejerciendo?
* ¿En qué consiste el tratamiento?
* ¿Es la terapia adecuada para mi dolencia?
* ¿Cuántas sesiones necesitaré?
* ¿Cuánto va a costar?
* ¿Tiene un seguro de responsabilidad profesional?

La relación con el terapeuta

El tratamiento puede durar meses, o incluso años, de modo que es importante sentirse a gusto con el terapeuta y sentir confianza en él. Algunas terapias, como la osteopatía y el masaje, implican contacto físico, por lo que puede que prefiera alguien del mismo sexo. Si se siente incómodo al conocer al terapeuta, no debería iniciar el tratamiento. No se sienta avergonzado y dígale que piensa que ese tratamiento no es el adecuado para usted.

Tras la primera sesión, hágase las siguientes preguntas:
* ¿Me he sentido a gusto y relajado con el terapeuta?
* ¿Siento confianza en él y en su honradez?
* ¿Ha contestado satisfactoriamente a mis preguntas?
* ¿Me ha tratado con respeto?
* ¿Me ha proporcionado documentación sobre la terapia o el especialista?

Al final, la elección del terapeuta se reduce a la circunstancia y la elección personal. Puede que no se sienta a gusto con un determinado terapeuta, a pesar de su especialidad. En ese caso, conviene que se busque otro.

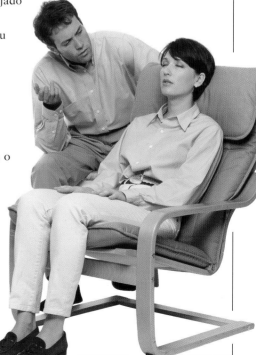

Es importante sentir total confianza, y sentirse relajado, en compañía del terapeuta.

Nuevas evidencias

L as evidencias apuntan al hecho de que una de las causas del asma y las alergias puede ser que los niños están demasiado protegidos frente a infecciones y no desarrollan un sistema inmunitario lo bastante fuerte para combatir una simple alergia.

La Universidad de Southampton, en el Reino Unido, uno de los centros punteros en asma y alergias del mundo, trabaja en una vacuna que podría protegernos frente al asma y la fiebre del heno. Creada a partir de una clase de microbacteria, Mycobacterium vaccae, que se encuentra en el suelo, la vacuna corrige el desequilibrio del sistema inmunitario al estimular las células Th-1 (abajo) y reducir el número de células Th-2.

Un estudio reciente mostró que los niños que recibían antibióticos de amplio espectro —para catarros y afecciones bronquiales— tenían el triple de riesgo de desarrollar más adelante asma, eccema y alergias.

La clave de la respuesta alérgica son dos células producidas por el sistema inmunitario: Th-1 y Th-2. Las Th-1 actúan contra las infecciones creando anticuerpos. Los dos tipos de células se mantienen en equilibrio, pero los asmáticos poseen una mayor proporción de células Th-2, que estimulan la liberación de anticuerpos alérgicos, o inmunoglobulina IgE. La temprana administración de antibióticos a los niños puede alterar el equilibrio Th-1/Th-2 al alterar el equilibrio bacteriano en el intestino, dando lugar a un sistema inmunitario gobernado por las Th-2, y una predisposición al asma y las alergias.

Las evidencias de que las infecciones bronquiales protegen frente al asma surgieron tras un estudio que asociaba el descenso de la tuberculosis con un aumento de la respuesta inmune frente a ácaros, polen y otros alérgenos. Los niños japoneses con una fuerte respuesta inmune a la tuberculosis eran relativamente insensibles al ácaro del polvo y el polen, y menos propensos al asma. La vacunación con bacterias inofensivas relacionadas con la tuberculosis podría ayudar en el tratamiento de las alergias.

Los médicos opinan que los bebés occidentales siguen una dieta demasiado "estéril" que le da muy poco trabajo al sistema inmunitario. Al permanecer ocioso, salta ante sustancias que no son dañinas, como el polen.

Muchas de estas teorías contienen la clave de los futuros medicamentos y vacunas, pero hasta que aparezcan, vale la pena recordar que cuando se sufre un resfriado, garganta irritada o una infección bronquial leve, lo mejor es dejar que la naturaleza se encargue.

El asma

Recientemente se han lanzado dos nuevos medicamentos que podrían cambiar la vida de los asmáticos. Zafirlukast (Accolate) y montelukast (Singulair) pertenecen a una nueva generación de antiinflamatorios, el primero en ser

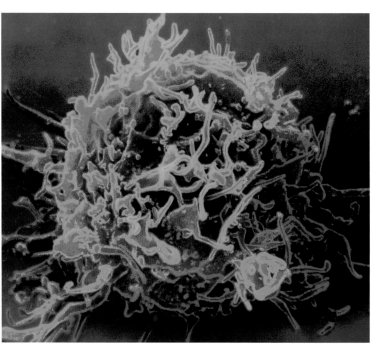

VACUNA CONTRA LA ALERGIA

Descubrir más de

El sistema inmunitario   26

Medicamentos para asma   64

Tratar la fiebre del heno   68

Está en proceso de desarrollo una vacuna que podría prevenir alergias, como la fiebre del heno, el asma alérgica y reacciones agudas a comida, medicamentos, animales y picaduras de insectos. La vacuna se está desarrollando en una empresa biofarmacéutica británica junto con el gigante farmacéutico SmithKline Beecham, uno de los mayores fabricantes de vacunas del mundo.

La vacuna bloquea la respuesta inmune del organismo a los alérgenos e impide la liberación de histamina, causante de los síntomas. Sirve para cualquier alergia, desde el asma infantil y la fiebre del heno hasta alergias alimentarias agudas y reacciones a picaduras de insectos que podrían provocar un choque anafiláctico.

Se han llevado a cabo dos pruebas clínicas en un centro internacional de alergias en Polonia. La primera implicó a 20 personas con fiebre del heno. Los primeros resultados sugieren que esta vacuna podría ser beneficiosa. La segunda se realizó sobre 13 personas con antecedentes de choque anafiláctico. Los pacientes fueron vacunados y después recibieron el alimento que les provocó la alergia. Ninguno sufrió reacción.

lanzado en 20 años. Ambas tienen como diana los leucotrienos que son liberados por el sistema inmunitario como respuesta a alérgenos, como ácaros, y pueden desencadenar un ataque de asma.

Los leucotrienos juegan un papel importante en la inflamación y el estrechamiento de las vías respiratorias durante un ataque, y se cree que son un bronococonstrictor 10.000 veces más potente que la histamina.

Montelukast, en pastillas, tomado antes de irse a dormir, es un preventivo adecuado para adultos y niños a partir de seis años con asma crónica o moderada. Es un medicamento de adición: se añade a la medicación habitual. Bloquea la actividad de los leucotrienos.

Las pruebas científicas muestran una mejoría en la función pulmonar, en los síntomas tanto diurnos como nocturnos, y reduce significativamente los síntomas del asma provocado por el ejercicio o la aspirina. Los investigadores comprobaron que una dosis diaria de 10 mg logró que el 48 por ciento de los pacientes tuviera menos ataques de asma que cuando tomaban únicamente esteroides.

Zafirlukast también bloquea la actividad de los leucotrienos. Se toma en pastillas dos veces al día y es adecuado para adultos y niños a partir de 12 años. Su objetivo es el leucotrieno D4, para el que son muy sensibles los asmáticos y que contribuye a la mucosidad, inflamación y broncoconstricción. Ambos medicamentos actúan de manera distinta a los esteroides y el medicamento de alivio habitual, y si se toman regularmente, se reduce la necesidad de broncodilatadores y mejoran los síntomas.

Cuando se combina el broncodilatador a largo plazo, eformoterol, con el esteroide inhalado, budesonida, en un turbuhaler, se pueden reducir los ataques de asma en un tercio, comparado con la misma dosis de esteroide únicamente.

Tratamientos urgentes

Qué hacer durante un ataque de asma

Un ataque de asma es algo serio. Por su culpa mueren personas, sobre todo mayores. Los ataques pueden ser suaves, moderados o graves. Un ataque grave siempre debería ser atendido en un hospital. La mayoría de las personas que mueren por un ataque asmático lo hacen fuera del hospital. Es fundamental reconocer las señales de alarma y saber reaccionar, cuándo pedir ayuda y qué hacer hasta que ésta llegue.

Las primeras señales de alarma

Dependen de cada persona y nunca hay que ignorarlas, sobre todo si ya existe un historial de ataques agudos. Es importante recordar que a veces se puede sufrir un ataque con poco o ningún aviso.

Las señales precursoras habituales de un ataque son:
- Tos con cosquilleo.
- Una extraña sensación o picor en la piel o nariz.
- Náuseas o vómitos.
- Mareos.
- Un empeoramiento de los síntomas habituales.
- Alteración del sueño.
- Necesidad de más medicamento aliviador.

Es difícil conservar la calma durante un ataque de asma, pero le ayudará mucho. Siéntese erguido con la cabeza ligeramente inclinada hacia delante, afloje la ropa alrededor del cuello e intente respirar profundamente.

Llame a un médico cuando:
- El flujo máximo cae por debajo del 50 por ciento del mejor valor.
- Los síntomas son tan graves que resulta imposible hablar o tragar.
- Necesita sentarse o tumbarse.
- La lengua o la boca adoptan una coloración azulada, señal de que no se absorbe bastante oxígeno.
- Empieza a sudar.
- El pulso se acelera (más de 120 pulsaciones por minuto en adultos y 140 en niños).
- Se siente agotado.
- La medicación habitual no surte efecto.

Qué hacer durante un ataque agudo
- Inhalar 4-5 veces el medicamento aliviador.
- Intentar conservar la calma. Es fácil de decir y difícil de hacer, pero la respiración acelerada provocada por los nervios no hace más que empeorar la situación.
- Sentarse erguido, ligeramente inclinado hacia delante, y colocar las manos sobre las rodillas para sujetar el pecho. No se tumbe.
- Respire lenta y profundamente.
- Afloje la ropa alrededor del cuello.
- Intente beber agua templada; la respiración acelerada puede producir sequedad en la boca.
- Piense en la necesidad de acudir a un médico.

Cuando el ataque lo sufre otro

- Procure conservar la calma y, si la persona puede hablar, escuche lo que dice. Pregúntele si tiene algún inhalador aliviador y, si lo tiene, ayúdele a inhalar 4-5 veces. Si no puede, prepare un espaciador de emergencia formando un cono con una hoja de papel para colocarlo sobre su rostro y apretar el inhalador cada 10 segundos unas 4-5 veces.
- No rodee los hombros de un niño con el brazo, ya que puede constreñir aún más la respiración.

Descubrir más de

Reacción alérgica grave   30
Controlar el asma   74
Técnicas respiratorias   86

El choque anafiláctico

La anafilaxis es una reacción alérgica, que puede ser mortal, a una determinada sustancia, como la picadura de un insecto o los frutos secos. El único tratamiento de emergencia es la adrenalina, normalmente administrada mediante un bolígrafo inyector (EpiPen, Anapen, Min-i-jet) que actúa directamente sobre el corazón y los pulmones, revirtiendo el efecto mortífero de la anafilaxis.

Si sufre anafilaxis, siempre debería llevar encima el bolígrafo de adrenalina; muchas personas llevan dos. Debería llevar pastillas antihistamínicas y una pulsera de alerta médica. Informe a sus amigos y compañeros de trabajo que sufre anafilaxis y enséñeles a utilizar el autoinyector. Si su hijo sufre anafilaxis, asegúrese de que los profesores y los amigos sepan el riesgo que corre y que el maestro tenga un bolígrafo de adrenalina por si acaso.

Los síntomas secundarios habituales después de la exposición al alérgeno son:

- Picor o sabor metálico en la boca.
- Inflamación de la garganta y la boca.
- Dificultad al tragar y respirar.
- Enrojecimiento de la piel.
- Calambres abdominales y náuseas.
- Urticaria en cualquier parte del cuerpo.

Cómo utilizar el bolígrafo de adrenalina

Si su compañero, hijo o amigo sufre anafilaxis, debe saber cómo utilizar el bolígrafo de adrenalina.

- Retire la caperuza negra para dejar al descubierto la punta de la aguja.
- Presione con fuerza contra el muslo, si es necesario, a través de la ropa. Así se activa el mecanismo de muelle y se inyecta la adrenalina.
- Mantenga el bolígrafo contra el muslo al menos 10 segundos.
- Retire el bolígrafo y masajee la zona.
- Normalmente basta con una dosis, pero si los síntomas no mejoran tras 10-15 minutos, utilice un segundo bolígrafo.
- **Llame de inmediato a una ambulancia.**

Glosario

Adrenalina: hormona de "lucha o huida" emitida por las glándulas adrenales como respuesta al estrés o miedo.

Agonistas beta-2: medicamentos broncodilatadores que se unen a lugares especiales, o receptores, de los bronquios y los relaja.

Alérgeno: diminuta sustancia a la que reaccionamos.

Aliviadores: medicamentos que producen un rápido alivio de los síntomas del asma.

Alveolo: saco microscópico de aire en el extremo de los bronquiolos, donde el oxígeno se transfiere a la sangre y el dióxido de carbono se traspasa para su expulsión.

Anafilaxis: reacción alérgica grave que puede ser mortal.

Angioedema: inflamación de los tejidos, sobre todo del rostro, como resultado de una reacción alérgica.

Anticuerpos: células producidas por el sistema inmunitario como respuesta a una sustancia extraña.

Antihistamínicos: medicamentos que bloquean la acción de la histamina y alivian los síntomas de alergia.

Atopía/atópico: tendencia familiar a sufrir alergias como el asma, eccema y la fiebre del heno.

Aura: campo energético que se cree emite el cuerpo y que puede manipularse para sanar.

Bronquios/bronquiolos: pequeñas ramificaciones de finas paredes de los pulmones que se inflaman durante un ataque de asma.

Células T: células del sistema inmunitario que luchan contra invasores como las bacterias.

Chakra: el cuerpo tiene 7 chakras (ruedas de energía) junto a la columna, a través de los cuales la energía vital (prana) interacciona con el cuerpo y la mente.

Cianosis: coloración azulada de la boca y la lengua durante un ataque de asma agudo.

Corticoesteroides: sustancias químicas producidas por las glándulas adrenales y que se fabrican sintéticamente como medicamento antiinflamatorio para aliviar los síntomas alérgicos, sobre todo asma, eccema y fiebre del heno.

Enfermedad celíaca: enfermedad del intestino delgado provocada por una intolerancia al gluten.

Epinefrina: adrenalina.

Escamas: partículas microscópicas de pelo, piel y saliva animal que pueden provocar un ataque de asma.

Gluten: proteína del trigo, avena, cebada y centeno.

Histamina: sustancia liberada por el organismo durante un ataque de alergia. Estimula la producción de mucosidad y otros síntomas de alergia.

IgE (inmunoglobulina E): anticuerpo de la alergia producido en grandes cantidades por los alérgicos.

Mastocitos: células activadas por el anticuerpo IgE. Contienen gránulos que provocan los cambios propios de un ataque de asma en las vías respiratorias.

Meridianos: en la medicina china es una red de caminos invisibles a lo largo de los cuales fluye la energía vital o qi. Cuando están bloqueados o desequilibrados, se produce la enfermedad.

Músculo liso: músculo de las vías respiratorias, paredes de los vasos sanguíneos, intestino y vejiga y que se mueve involuntariamente.

Preventivos: medicamentos, normalmente corticosteroides, que previenen los síntomas del asma.

Punto de acupuntura: punto a lo largo de los meridianos que puede manipularse con agujas o presión para producir salud y bienestar.

Radioalergosorbancia: prueba sanguínea que mide el nivel de IgE en sangre al exponerse a un determinado alérgeno, como el polen.

Recuento de polen: número de granos de polen en un metro cúbico de aire. Por debajo de 50 es bajo y a partir de 200 es alto.

Rinitis: inflamación de la nariz.

Sistema inmunitario: defensas del organismo contra agentes extraños, como alérgenos, bacterias y virus.

Sistema nervioso autónomo: parte del sistema nervioso responsable de los movimientos musculares involuntarios y el funcionamiento de estructuras como el intestino, ojos, vías respiratorias y vasos sanguíneos.

Sistema nervioso simpático: parte del sistema nervioso autónomo que prepara al cuerpo para "luchar o huir" y dilata los bronquios.

Tasa de flujo máximo: medida de la fuerza de la espiración que valora la salud de los pulmones.

Urticaria: inflamación de la piel por reacción alérgica.

Volumen espiratorio forzado: volumen de aire que se puede expulsar de los pulmones en un segundo tras inhalar profundamente.

Yin/yang: en la medicina china es el equilibrio energético. Yang se caracteriza por calor, movimiento, luz y energía; yin por oscuridad, inactividad, pereza e ineficiencia.

Recursos útiles

www.respirar.org
El portal sobre asma en niños y
adolescentes.

www.airelibre.org
Asociación de asmáticos en la
que puede encontrar información
sobre qué es el asma, la relación
asma-deporte, tratamientos,
experiencias…

**www.siicsalud.com/tit/
alergia.htm**
Especialistas de la Alergología
responden a preguntas de
actualidad.

www.seicap.es
Sociedad Española de
Inmunología Clínica y Alergia
Pediátrica.
Tel.: (34) 934 318 833

www.alergoweb.com
Bibliografía, reseñas, buscador…
sobre temas de Alergología.

**Sociedad Española de
Alergología e Inmunología
Clínica**
Tel.: (34) 933 945 369
www.seaic.org/

OTRAS DIRECCIONES

**Sociedad Española del Dolor
(SED)**
Urbanización Las Chumberas.
Blq 41-1.º-B
San Cristóbal de La Laguna
(Tenerife)
Tel.: 687 422 344
www.sedolor.es/

**Fundación Europea de
Medicina Tradicional China**
Centros en Madrid, Barcelona,
Valencia, Amposta y Tarragona
www.mtc.es

**Instituto Superior de
Quiromasaje**
C/ Boix y Morer, 3-Posterior
(Semiesquina Cea Bermúdez, 8)
Madrid
www.institutosuperiordequiroma
saje.com

Índice

A

abejas *véase* picaduras
acupresión 81, 82, 106, 108,
 110 *véase también* masaje
acupuntura 81, 82, 106, 108-9,
 111
 asma 109, 111
 eccema 109
 energía 80
 tabaco 55
adrenalina 29, 32, 66, 68, 77,
 155
alcohol 25, 73, 134
Alexander, técnica 83, 128-9
alergias 11-33, 152-3
 adrenalina 32
 alérgenos 26-27, 36-38,
 40-47, 74, 132
 animales 11, 12, 15, 36, 43,
 50, 153
 atopía 14, 21, 39
 causas 39
 condones 51
 cosméticos 21
 crónica 80
 desencadenantes 35-38, 40-47
 detergentes 21
 emociones 36
 empastes dentales 41
 estrés 36, 56-59, 84, 97
 ganancia secundaria 59
 hogar 36, 40-41, 48-51
 IgE 26-27, 61
 infancia 15
 irritantes 44-45, 52
 látex 45
 moho 36, 37, 41
 mordeduras 31
 níquel 21
 ocupacional 15, 44-45
 picaduras 12, 30, 31-33, 69,
 153
 plantas 21, 33
 productos químicos 21, 44,
 45, 50, 51
 pruebas 60, 61
 reacciones 30-33
 rinitis alérgica 12, 13, 14, 44,
 69, 72, 113, 153
 síndrome del edificio enfermo
 15, 45
 síntomas 26, 27
 soluciones 48-51
 toxinas 134
 vacuna 153 *véase también*
 asma, medicamentos, polvo,

eccema, emergencias,
 alimentos, fiebre del heno,
 polen, contaminación, piel
anafiláctico, choque *véase*
 emergencias
anemia 26
animales 11, 12, 15, 36, 43, 50
ansiedad 86, 104, 105, 110,
 114, 119, 129, 139, 146, 149
aromaterapia 82, 102, 104-5,
 139
articulaciones *véase* sistema
 musculoesquelético
artritis 118, 119, 121, 133, 136
 reumatoide 25
asma 152-3
 adulto 15
 animales 11, 12, 15, 36, 43,
 50
 ataques 28-29, 154-5
 broncodilatadores *véase*
 medicamentos
 Buteyko, método 88-89
 café 67
 cafeína 67
 causas 28-29, 39 *véase*
 también desencadenantes
 controlar 74-75
 crónica 13, 80
 definición 12
 desencadenantes 14, 15, 25,
 35-38, 40-47
 diagnóstico 14
 ejercicio 14, 18, 35, 38, 54,
 55, 57, 59, 66, 67
 emoción 36, 38, 57
 empaste dental 41
 espirometría 60
 estrés 36, 38, 56-59, 84
 extrínseca 13
 familiar 39
 flujo máximo 57, 60, 74-75
 ganancia secundaria 59
 hogares 36, 40-41, 48-51
 IgE 26-27
 incremento de 14, 15, 16-17
 infancia *véase* niños, asma
 inhaladores *véase*
 medicamentos
 intrínseca 13
 irritantes 44-45, 52
 látex 45
 mucosidad 28-29, 31, 153
 nerviosa 105
 no alérgica 13
 nocturna 13, 66
 ocupacional 15, 38, 44-5

personalidad 59
 pobreza y 38
 pruebas 60
 quebradizo 13
 retardado 15
 síntomas 12, 29
 sistema inmunitario 26-27, 28
 soluciones 48-51
 sustancias químicas 36, 44-45,
 47, 50, 55
 tabaco 14, 28, 36, 45, 46, 55
 técnicas respiratorias 82,
 86-89, 96-97
 terapias, convencionales
 62-63, 64-67, 74-77, 79
 véase también terapias
 individuales
 tiempo 37
 tipos 13 *véase también*
 alergias, medicamentos, polvo,
 emergencias, alimentos,
 contaminación
 vacuna 153
aspiradores 49
autosugestión 103
avispas *véase* picaduras
ayuno *véase* comida,
 naturopatía, medicina
 nutricional
ayurvédica, medicina 83, 120-1

B

biofeedback 83, 146
bronquitis 14, 91, 113, 127,
 134, 135, 136, 147
Buteyko, método 88-89

C

cacahuetes *véase* frutos secos
cafeína 67, 102, 122, 123, 134
cansancio 24, 25, 86, 110, 121,
 133
cardíaca, enfermedad coronaria
 86
catarro 24, 105, 119
celíaca, enfermedad 24, 72, 119
chi *véase* energía
circulación 105, 110, 118, 133,
 136, 138, 139, 145, 146, 147
colon irritable, síndrome del 24,
 72, 80, 86, 110, 113, 117,
 118, 119, 121, 124, 125, 137,
 139, 146, 147, 149
comida
 aditivos 25, 46-47
 alcohol 25, 73
 alergias 11, 15, 24-25, 69, 72

azúcar 24
café 25, 67
chocolate 25, 73
fruta 24, 73
frutos secos 12, 24, 25, 26,
 30-31
gluten 24, 72
lácteos, productos 25, 73
legumbres 24, 73
marisco 24, 25
pescado 24, 73
sabores 47
terapias, convencionales 64,
 72,-73
trigo 24, 25, 72, 73
 intolerancia 24, 25, 57, 69,
 72
 terapias, convencional 64,
 72-72 *véase también*
 medicina ayurvédica, dieta,
 sistema digestivo,
 homeopatía, naturopatía,
 terapia nutricional, yoga
 vacuna 153
contaminación 14, 16, 17, 36,
 52-55

D

depresión 24, 25, 105, 110-111,
 118, 139, 149
dermatitis *véase* piel: alergias
desencadenantes 14, 115, 25,
 35-51
desórdenes alimenticios 133
diabetes 26, 139
dieta 54, 62-63, 108, 118, 133,
 134 *véase también* medicina
 ayurvédica, sistema digestivo,
 comida, homeopatía,
 neuropatía, terapia
 nutricional, yoga
digestivo, sistema 22-25, 104,
 105, 110, 113, 117, 118, 119,
 121, 127, 135, 136, 137, 138,
 139,, 144-5, 147 *véase*
 también comida: alergias
dolor de cabeza 24, 25, 86, 105,
 125, 139, 144, 146, 147

E

eccema 12, 20, 99, 100, 104,
 105, 109, 112, 113, 114, 117,
 118, 119, 135, 136, 137, 139,
 145, 147
 atópico 39, 71
 comida y 25, 72
 desencadenantes 38, 41

estrés 56, 57
infantil 12, 15, 39, 113, 139, 152
medicamentos y 152
relajación 59, 81
ropa y 51
terapias, convencionales 70-71
tipos 21
edificio enfermo, síndrome del 15
ejercicio 83 *véase también* asma: ejercicio; naturopatía
emergencias
asma 29, 154-5
choque anafiláctico 24, 30-33, 45, 47, 69, 153, 155
emociones 36, 38, 57
acupresión 110
consejo psicológico 148, 149
psicoterapia 148-9
reflexología 144, 145
energía 80, 81, 106, 142 *véase también* terapias individuales
entrenamiento autogénico 58, 82, 98, 99 *véase también* biofeedback
espalda *véase* sistema musculoesquelético
especialistas *véase* terapias complementarias
estrés 36, 38, 56-59, 82, 83, 84, 97, 105, 100, 117, 119, 121, 125, 129, 139, 141, 144, 145, 146, 147, 149 *véase también* meditación, relajación, yoga

F
falta de respiración 12, 14, 29
fatiga crónica, síndrome de 80, 113
fiebre del heno 11, 12, 13, 91, 119, 122, 133
desensibilización 64, 68, 69
gafas de sol 54, 55
medicamentos y 152
moho 41
niños 13, 14, 15, 27, 152
polen 42, 55, 68
recuento 54-55
terapias, convencionales 68-69, 77
tiempo 37
vacuna 153
filtros de aire 50-51
fitoterapia 81, 83, 108, 112-19
alergias 119
ansiedad 114, 119
artritis 119
asma 113, 114, 116, 118, 119, 133

catarro 119
celíaca, enfermedad 119
china 112-15
circulación 118
colon irritable, síndrome del 117, 118, 119
depresión 118
eccema 112-13, 114, 117, 118, 119
estrés 117, 119
fiebre del heno 119
garganta irritada 117
insomnio 119
migraña 117
occidental 116-19 *véase también* medicina ayurvédica, naturopatía
piel, problemas de 112-13, 114, 117, 118, 119
resfriados 117, 118, 119
sinusitis 118
sistema digestivo 113, 117, 118, 119
sistema inmunitario 113, 118, 119
sistema respiratorio 113, 117
tos 118, 119
flotación 137
fobias 149
frutos secos *véase* comida: alergias
fuerza vital véase energía
fumar 36, 45, 46, 55, 123, 134
bronquitis 14
dejar de 55
tos 28

G
garganta, infecciones de 105, 117, 153
ginecológicos, problemas 104, 105, 110, 121, 125, 127, 145

H
hidroterapia 83, 133-4, 136-7 *véase también* naturopatía
hipertensión *véase* circulación
hiperventilación 82, 86, 88, 89
hipnosis, auto 58, 98, 103, 147
hipnoterapia 55, 83, 103, 147
histamina 26, 27, 67, 68, 149, 153
hogares 36, 40-41, 48-51
holístico, enfoque 80-81, 106, 108
homeopatía 81, 83, 106, 122-3, 133
homeostasis 106, 126
huesos véase sistema musculoesquelético
humedad 36, 37, 41, 45, 51

I
IgE 26-27
infecciones respiratorias víricas 14
inflamación de colon 24
indigestión *véase* sistema digestivo
inmunitario, sistema 24, 26-27, 28, 56-57, 105, 113, 118, 119, 127, 139
medicamentos 152
insomnio 104, 105, 110, 119, 122, 139, 146

L
leucotrienos 27, 67, 153
luz, terapia 71

M
manipulación 106, 108 *véase también* quiropráctico, naturopatía, osteopatía
marma 121, 138
masaje 81, 82, 106, 108, 138-41
aromaterapia 104, 139
shiatsu 82, 110-11
véase también medicina ayurvédica, medicina china, hidroterapia, naturopatía, reflexología
McTimoney/McTimoney-Corley quiropraxia 124
medicamentos 63, 80
agonistas beta-2 66, 76
alergias de piel 70-71, 77
aliviadores 29, 60, 64, 66-67, 74, 75, 76-77, 154, 155
Anapen 155
antialérgicos *véase* estabilizadores de mastocitos
antibióticos 47, 70, 77, 152
anticolinérgicos 64, 66-67
antihistaminas 68, 70, 77
antiinflamatorios 64-65, 153
antiinflamatorios no esteroideos 38, 47
aspirina 38, 47
asma 58, 62-67, 74-77, 79, 82, 153
broncodilatadores *véase* aliviadores
cafeína 25, 67
ciclosporina 71
corticosteroides *véase* esteroides
descongestionante 68, 77
efectos secundarios 63, 76-77, 79, 132, 152
Epi-pen 32, 155
espaciadores 64, 65, 66, 75, 155

estabilizadores de mastocitos 67, 68
esteroides 16, 63, 64-65, 67, 68, 70, 71, 75, 77
fiebre del heno 68-69, 77
inhaladores 65, 66, 67
intolerancias/alergias alimentarias 72-73
inyecciones 47, 64, 65, 68, 69
medicina convencional 82, 84, 100-101
método de la copa 69
Min-i-jet 155
nebulizadores 16, 65, 66
preventivos 64-64, 153
prímula 71, 77
reacciones a 12, 15, 38, 47, 152
xantinas 67, 76, 77
medicina tradicional china 86, 96, 108-9, 112-15 véase también acupresión, fitoterapia, qi, qigong, reflexología, t'ai chi
meridianos *véase* energía
migraña 25, 47, 72, 80, 104, 105, 110, 117, 121, 125, 133, 144, 146, 147, 149
moho 36, 37, 41, 45, 51
mordeduras 31
moxibustión 109
musculoesquelético, sistema 104, 110, 121, 124, 125, 126, 136, 138, 139, 144, 146
música 102, 103

N
naturopatía 83, 106, 130, 133-5 *véase también* medicina ayurvédica, consejo psicológico, dieta, sistema digestivo, comida, fitoterapia, homeopatía, manipulación, masaje, terapia nutricional, yoga
niños
alergias 15, 30-31, 72, 113
amamantar 30-31
asma 14, 15, 16, 17, 18, 27, 38, 40, 46, 50, 57, 59, 67, 77, 139, 146, 152, 153
diabetes 139
eccema 113, 139, 152
ejercicio 14, 18, 57
fiebre del heno 13, 14, 15, 27, 152
hiperactividad 24, 25, 46-47, 64
infecciones respiratorias víricas 14
peluches 40, 50

piel 15, 59, 113, 139, 152
  tabaco y 14, 46
nutricional, terapia 83, 130-3
  véase también medicina
  ayurvédica, dieta, sistema
  digestivo, comida,
  homeopatía, naturopatía,
  yoga

O

ojos *véase* conjuntivitis
oración 84, 143
osteopatía 83, 106, 124, 125,
  126-7
  asma 127, 135
  craneal 126, 127
  pediátrica 126
ozono *véase* contaminación

P

pánico, ataques de 24
pecho, problemas de 12, 14,
  152, 153 *véase también*
  bronquitis, sistema
  respiratorio
peluches 40, 50
picadura 12, 30, 31-33, 69, 104,
  105
  vacuna 153
piel
  acné 121
  alergias 69
  angioedema 21, 25
  antibióticos 47
  asma 25
  cremas/ungüentos 70, 71
  dermatitis 12, 21, 24, 44, 104,
  113
  intolerancia alimentaria 72
  psoriasis 20, 71, 117, 121,
  136, 137, 145

sarpullidos 12, 57, 135
sistema 20, 21
terapias alternativas 104, 105,
  109, 112-13, 114, 117, 118,
  119, 133, 135, 136, 137, 139,
  145, 147
terapias convencionales
  70-71
urticaria 15, 21, 25, 119
vitíligo 26
polen 27, 37, 42, 51, 53, 54-55
  véase también fiebre del heno
polvo
  ácaros 16, 17, 27, 36, 40-41,
  45, 48-49, 53
  duchas 135
  látex 45
postura 83, 128-29
prana *véase* energía
presión sanguínea *véase*
  circulación
programación neurolingüística
  149
psicoanálisis 149
psicoterapia 83, 148-9
psoriasis *véase* piel
pulmones *véase* sistema
  respiratorio

Q

qi *véase* energía
qigong 82, 84, 96-97
quiropráctica 83, 106, 124-5

R

reflexología 83, 144-5
reiki 138, 143
relajación 58-59, 81, 82, 84, 86,
  102-3, 108 *véase también*
  entrenamiento autogénico,
  biofeedback, hidroterapia,

hipnoterapia, masaje,
  meditación, yoga
resfriados 91, 105, 117, 118,
  119, 126, 133, 148, 149, 153
respiratorio, sistema 12, 18-19,
  28-29, 80, 90-3, 97, 105, 113,
  117, 133, 136
  técnicas respiratorias 82,
  86-89
reumatismo 110
rolfing 138
ropa 40, 51

S

sanación 83, 106, 142-3
sarpullidos *véase* piel: alergias
secundaria, ganancia 59
shiatsu 82, 110-11
sibilancias 12, 14, 25, 29
sinusitis 91, 105, 118, 136, 137,
  139

T

tabaco *véase* fumar
t'ai chi 58, 82, 84, 94-95
técnicas respiratorias 82, 86-9
  véase también qigong, yoga
tensión *véase* relajación, estrés
terapéutica, manipulación 143
terapias
  alergias
  alimentarias/intolerancias 64,
  72-73
  alternativas 56, 123, 124, 131,
  136, 141, 147, 151
  de orina 137
  del comportamiento 149
  del comportamiento cognitivo
  149
  desensibilización 64, 69, 72
  dieta 64, 72-73

eccema 70-71, 79
elegir 82-83
fiebre del heno 68-69, 77
hiposensibilización 64
luz 71
Miller, técnica 64, 69
neutralización 64, 69, 72
piel, alergias de la 70-71, 77
psicodinámica 149
psiquiatría 148
terapia de luz 41
terapias convencionales 79,
  123, 124, 131, 136, 141, 147,
  151
  administradas por un
  especialista 106-49
  alergias 64
  asma 62-63, 64-67, 74-77,
  79
  autoadministradas 84, 105,
  110, 119, 128, 132, 135,
  136, 137, 140, 146, 147
  especialistas 81, 111, 115,
  117, 123, 134, 147, 150-1
  razones para elegir 80-81
tiempo 37

U

úlceras de estómago 121
urinario, sistema 105
urticaria *véase* piel: alergias

V

vacuflex 145
visualización 82, 99

Y

yin y yang 108-9
yoga 58, 80, 82, 87, 90-93 *véase
  también* medicina ayurvédica,
  meditación, relajación

Agradecimientos

Illustraciones: Mike Saunders y Kuo Kang Chen

Créditos de las fotografías: t = arriba, b = abajo, l = izq., r = dcha., c = centro   Todas las fotografías del libro son de Andrew Sydenham, excepto:

3 Tony Latham; 7t Photographers Library; 15 The Stock Market; 16 David Montford/Photofusion; 21t Dr. P. Marazzi/Science Photo Library; 24 Iain Bagwell; 25 John Barlow; 26 Perlestein, Jerrican/Science Photo Library; 27t Eddy Gray/Science Photo Library; 27b M. Wurtz/Biozentrum, University of Basel/Science Photo Library; 30 Laura Wickenden; 31 CNRI/Science Photo Library; 331 Rose-Marie Yeh/Garden Matters; 33tr, br Harry Smith Collection; 33cr Robert Harding Picture Library; 34 Andrew Syred/Science Photo Library; 36 Power Stock/Zefa; 37 Kent Wood/Science Photo Library; 39 Photographers Library; 40t David Scharf/Science Photo Library; 41 Microfield Scientific LTD/Science Photo Library; 42r Andrew Syred/Science Photo Library; 42l Robert Harding Picture Library; 43t Power Stock/Zefa; 43b Robert Estall/Horizon; 49 Roger Brooks/Houses & Interiors; 53 Photo Library International/Science Photo Library; 54l Burkard Manufacturing Co. Ltd; 54r John P. Kelly/The Image Bank; 55r Perlstein, Jerrican/Science Photo Library; 56 Images Colour Library; 57 D. Stoecklein/The Stock Market; 58 T. Stewart/The Stock Market; 59 The Stock Market; 60 Noma (Complex Homeopathy) Ltd, sole UK agent for Vega; 61 James King-Holmes/Science Photo Library; 64 Clement Clark International; 66 Clement Clark International Ltd; 69 The Stock Market; 71 The Stock Market; 75 Ken Scott/Tony Stone Images; 80 BSIP/Science Photo Library; 81 Andre Perl stein/Tony Stone Images; 85 Frederick Jorez/The Image Bank; 99 The Stock Market; 100 Rick Rusing/Tony Stone Images; 102 Alain Choisnet/The Image Bank; 108 Tim Malyon & Paul Biddle/Science Photo Library; 109 Steve McAlister/The Image Bank; 113t Wellcome Institute Library, London; 113b Laura Wickenden; 114 Sam Greenhill; 115r Iain Bagwell; 116b Jane Legate/Robert Harding Picture Library; 117t The Bridgeman Art Library; 122t Iain Bagwell; 122b-123t Harry Smith Collection; 123b Iain Bagwell; 124-125 Francoise Sauze/Science Photo Library; 126 Osteopathic Information Service; 132b Laura Wickenden; 136 Chris Harvey/Tony Stone Images; 137 Ulli Seer/Tony Stone Images; 139 Andre Perlstein/Tony Stone Images; 140-41 Laura Wickenden; 144 Iain Bagwell; 152 NIBSC/Science Photo Library